KB157149

신新 중국 책략

세계 최고를 향한 중국의 야심과 한국의 전략

지은이 황순택

이 책의 편집과 교정은 김상문, 출력과 인쇄는 꽃피는 청춘의 임형준, 제본은 은정문화사의 양현식, 종이 공급은 대현지류의 이병로가 진행해주셨습니다. 이 책의 성공적인 발행을 위해 애써주신 다른 모든 분들께도 감사드립니다. 틔움출판의 발행인은 장인형입니다.

초판 1쇄 인쇄 2018년 2월 12일
초판 1쇄 발행 2018년 2월 19일

펴낸 곳 틔움출판
출판등록 제313-2010-141호
주소 서울특별시 마포구 월드컵북로4길 77, 353
전화 02-6409-9585
팩스 0505-508-0248
홈페이지 www.tiumbooks.com

ISBN 978-89-98171-39-1 03320

잘못된 책은 구입한 곳에서 바꾸실 수 있습니다.

틔움은 책을 사랑하는 독자, 콘텐츠 창조자, 제작과 유통에 참여하고 있는 모든 파트너들과 함께 성장합니다.

신新 중국 책략

황순택 지음

세계 최고를 향한 중국의 야심과 한국의 전략

티움

추천의 글

한승수 전 국무총리

중국을 모르면 세상 돌아가는 일을 알 수 없는 시대다. 하지만 거대한 중국을 이해하는 데 있어 눈 가리고 코끼리를 더듬는 식이 되어서는 안 된다. 그래서 기사 한 줄, 책 한 권으로 중국 전체를 이해한 것처럼 행세하는 것은 위험하다.

이 책은 거대한 중국의 여러 단면을 최근의 상황에 맞게 잘 정리했다. 지금의 중국을 종합적으로 이해하고, 10년 후 중국의 모습을 예상하고 싶은 독자에게 가장 적합하다. 중국이 왜 한국에 위협이고 기회인지, 그리고 중국이 가진 문제와 위험은 무엇인지를 가장 잘 알 수 있는 책이다. 지난 20여 년간 중국 전문 외교관으로 근무한 저자의 현장감이 돋보인다.

신정승 전 주중국 대사

20년 전만 해도 한국은 중국에 대규모 차관을 제공하며 각종 협력사업을 추진했다. 2018년 중국은 20년 전과 비교할 수 없다. 연 소득

1만 1,500달러 이상 4만 3,000달러 사이의 중산층 인구가 무려 2억 5,000만 명에 이른다. 남북한 전체와 일본 인구를 합친 수보다도 많다. 이러한 방대한 시장과 구매력을 바탕으로 중국은 이제 정치, 경제, 외교적으로 국제사회에 큰 영향을 미치는 대국이 되었다.

중국을 과거의 잣대로 평가해서는 안 된다. 『신중국책략』은 거대한 이웃 나라 중국의 현재와 10년 후의 중국을 잘 보여주고 있다.

박근태 CJ중국본사 대표

이런 책이 나오기를 기다렸다. 최근 중국의 변화는 빠르다. 우리는 그동안 매체를 통해 이러한 변화의 조각들을 자주 접해 왔다. 그러나 전체 그림을 보기 힘들었다.

마침내 중국 경제의 조각들을 합쳐 완성된 큰 그림을 보는 기분이다. 중국이 어떻게 변화해왔고, 변화의 원동력은 무엇이며, 중국의 변화가 한국에 주는 함의를 잘 보여준다. 또한, 우리는 이 책을 통해 중국 경제가 가진 문제점, 중국 경제가 주는 기회를 찾을 수 있다.

무엇보다도 평생을 외교관으로 살아온 저자의 중국에 대한 세심한 관찰과 전망, 그리고 한국의 미래에 대한 걱정과 기대가 가슴에 와닿는다.

이남식 국제미래학회 회장(전 전주대학교 총장)

중국은 시진핑 주석 제2기 체제의 출범과 더불어 2018년을 G2 국가에서 G1 국가로의 굴기를 시작하는 원년으로 삼은 듯하다. 『신중국책략』은 우리에게 위협적이고(Threat), 위험(Risk)이며, 여전히 기회(Opportunity)인 중국에 대해 이 시대 우리 지도자, 국민, 기업 모두가 반드시 알아야 할 내용을 잘 정리했다.

지난 25년간 대중 수교 이래 가장 활발하게 활동한 중국 전문가이자 광저우 총영사인 저자는 제4차 산업혁명 시대에 변모하는 중국에 대해서도 최신의 내용을 현장감 있게 다루고 있다. 특히 웨강아오 대만구, 중국 4차 산업혁명을 이끌어가는 혁신과 창업의 중심인 광저우와 선전 현장에서 중국의 13.5 규획과 도시화(Urbanization), 일대일로, 인터넷 플러스, 중국 제조 2025 등 중국의 새로운 경제 산업 발전 전략을 세밀히 다루고 있어 한국의 대중국 전략을 세우는 데 큰 도움이 될 것이다.

최근 중국이 힘을 바탕으로 한 외교적 대응으로 일관하고 있어 대중국 외교가 쉽지 않은 상황이다. 한국은 경각심을 갖고 중국을 정확히 이해하기 위해 노력해야 한다. 어려운 시기에 출간된 『신중국책략』을 환영하며 대중국 전략 수립을 고민하는 모든 사람에게 큰 도움이 될 것으로 기대한다.

한우덕 차이나랩 대표, 중앙일보 중국연구소 소장

19세기 후반 일본에 파견된 청나라 참찬관 황준헌은 『조선책략』이라는 책에서 조선은 미국과의 수교를 통해 러시아 남침을 방어해야 한다고 밝혔다. 나아가 청나라에 문호를 개방하고 산업과 무역의 진흥을 꾀하며, 기술을 습득해 부국강병을 해야 한다고 주장하며 구체적인 방법을 상세하게 제시했다.

중국 정부는 신중국 창건 100주년이 되는 2049년에 세계의 절대 권력자가 된다는 계획을 수립하고 하나씩 실천하고 있다. 중국몽이 현실화될 가능성이 낮다 하더라도 우리는 이에 대비해야 한다.

『신중국책략』은 21세기 한국 외교관이 20여 년간 중국 현지에서 체험한 사실을 바탕으로 쓴 한국의 대중국 전략이다. 이를 통해 중국을 제대로 파악하고 대비할 수 있기를 바란다.

한국은 G1을 향해 질주하는 중국과 어떻게 살 것인가?

이 책은 지난 20년간 변화해온 중국과, 변해가는 중국에 대해 본 대로 느낀 대로 기술한 것이다. 부족하지만 이 책이 독자들이 가지고 있는 중국에 대한 경험과 지식에 더해 오늘날 중국에 대한 정확한 인식을 새롭게 하길 바란다. 이 책을 통해 한국이 중국과 어떻게 관계를 정립해나가야 할 것인지에 대한 작은 단초라도 찾을 수 있다면 더 바랄 것이 없겠다.

일반적으로 중국은 사회주의 국가로, 획일적이고 일원화된 나라로만 생각하는 경향이 있다. 그러나 중국은 한족 외에 55개의 소수민족이 살고 있으며, 넓은 영토만큼이나 큰 다양성을 가진 나라다. 중국은 한 나라이지만 역사, 문화, 음식, 언어, 경제 발전 정도 등 다방면에서, 동과 서가 다르고 남과 북이 다르다. 또한 같은 곳에서도 다양성이 엿보이고 빈부의 격차가 공존하고 있다. 우리는 낙후된 서부 지역과 농촌을 보고, 고집스럽게 형식과 외모에 신경을 쓰지 않는 중국인의 수수한 모습을 보고 '중국은 이렇다 저렇다'라고 단정해서는 안 된다.

중국의 G1을 향한 돌진이 거세다. 중국은 다양성의 나라이기에 아직은 많은 분야에서 미흡하고, 거칠기도 하고, 부족하다. 그러나 중국의 부상하는 힘(崛起)은 중국을 서에서 동으로 관통하는 양쯔강이나 황허강처럼 도도하고 일관성 있게 솟아나고 있다.

중국은 이미 많은 분야에서 패스트 팔로어(fast follower)를 넘어 퍼스트 무버(first mover)로 활약하고 있다. 특히 다가오는 제4차 산업혁명의 시대를 맞이해 그 선도의 위치를 차지하기 위해 빅데이터, 모바일 네트워크, 인공지능, 가상현실, 항공, 로봇, 유전자 등 많은 분야에서 한국보다 먼저 미래를 향해 달리고 있다.

어느 사회나 국가든 퍼스트 무버의 선도가 결국 그 사회와 국가의 수준과 질을 결정하게 될 것이다. 필자가 지난 1년간의 시간 동안 이 책의 원고를 정리하고, 쓰고, 다듬으면서 겪은 고충 중의 하나는 글을 쓰고 있는 사이에도 중국 경제의 모든 분야에서 지표가 새롭게 경신되고, 첨단 기업들이 하루가 다르게 새로운 분야에 투자하고, 실적을 올리고 있어 그 변화의 추이를 좇아가기 힘들었다는 점이다. 그만큼 중국의 변화와 혁신은 세상의 변화보다 빠름을 실감했다.

서구 경제학자들이 중국의 1당 독재 사회주의 체제를 두고 미래를 어둡게 전망하기도 하는데, 중국이 지난 수십 년간 지속적으로 발전해온 배경에는 중국 거버넌스의 힘, 즉 '베이징 컨센서스' 또는 '광범위한 엘리트층의 합의 과정(broader elite consensus)'이 있었음을 잊어서는 안 된다. 중국이 이를 통해 중국 특색의 사회주의 시장경제의 힘을 언제까지 효율적으로 활용할 수 있을지 누구도 전망하기 힘들다.

중국 정부는 적어도 중국 해방 100주년이 되는 2049년까지 지속적인 안정과 발전을 이어나가겠다는 각오를 다지고 있다. 필자가 20세기 말 베이징에서 근무할 때 서구 경제학자들 사이에서 중국의 미래에 대한 논의가 한창이었다.

한국은 1988년 서울올림픽 개최를 전후로 1인당 GDP가 3,000달러를 상회했고 국민들의 민주화 욕구가 활발하게 일어났다. 이와 마찬가지로 많은 사람이 1999년 당시 1인당 GDP 약 1,000달러의 중국도 2008년 베이징올림픽에 즈음해 소득 수준이 오르게 되면, 1989년 톈안먼 사태와 같은 민주화 요구가 일어나 경제 발전에 한계를 보이고, 서부 지역의 소수민족 자치구부터 분열 조짐을 보일 수 있을 것이라는 전망을 내놓기도 했다. 그러나 지금 우리는 그 모든 중국의 미래에 대한 부정적인 전망과 예측이 틀렸음을 잘 알고 있다.

필자가 1999년 베이징에 부임해 사회과학원 위융딩(余永定) 교수를 만났다. 필자는 "중국이 향후 얼마나 오랫동안 지속적인 발전을 할 수 있겠는가?"라고 물었다. 그는 "중국에는 중서부 지역에 무한한 값싼 노동력이 있어 앞으로 30년은 경쟁력을 유지해 발전할 수 있을 것이다"라고 한 말이 아직도 기억에 남는다. 그의 말과 같이 중국은 값싼 노동력을 기반으로 하여 지난 30년간 고도성장을 이룩했다. 그러나 2018년 현재는 값싼 노동력을 통한 가격 경쟁력이 점차 소진되고 있다. 이에 중국 정부는 성장 모델을 제조업에서 서비스업으로, 수출에서 내수 중심으로 발 빠르게 전환하고 있다. 값싼 노동력으로 유지할 수 있는 경쟁력이 완전히 소진되기 전에 성장 모델을 전환하고, 국가를 탈바꿈하려는 중국의 계획력, 준비력, 실행력이 부럽다.

필자는 시진핑 집권 2기를 맞이한 중국 경제가 당분간 계속 성장해나갈 것으로 전망한다. 그러나 중국이 갖고 있는 내재적·정치적 문제점과 모순이 여전히 존재하고, 실제 GDP 성장만으로 대응하기 힘든 새로운 국민적 욕구가 분출하고 있다. 또한, 경쟁하고 있는 서방 세력도 무한정 커가는 중국을 그대로 바라보고만 있지는 않을 것이다. 언제든지 견제를 하고, 알력이 생기고, 나아가 마찰도 생길 것이다. 하지만 필자는 중국이 내재적인 정치 문제를 광범위한 엘리트층의 합의 과정을 통해 느리지만 결국은 극복할 것으로 생각한다. 또 서구의 견제와 자국민들의 민주화 요구에 대해서는 리콴유(李光耀) 수상의 싱가포르식 정치발전 모델로 교묘히 비켜나갈 것이다.

미래의 정치·외교적 마찰 가능성에 대해서는 이 책에서 구체적으로 다루지 않았고 다룰 생각도 없다. 다만, 이러한 있을 법한 미래의 궤적을 내다보며 우리는 우리 나름으로 대중 관계와 한국의 미래를 준비해야 한다. 무엇보다도 국가가 부강하고 국민이 잘 살아야 정치 외교의 수단이 힘을 발휘할 것이라는 것은 동서고금의 모든 역사에서 증명되어온 사실이기 때문이다.

필자가 이 책 『신중국책략』을 쓴 이유도 그것이다. 독자들께서 우리의 미래를 위해 새로운 각오를 다지는 계기가 된다면 감사할 따름이다. 다시 말해 오늘을 사는 한국에는 바로 옆에 위협적이고, 위험하기도 하며, 기회이기도 한 여러 얼굴의 중국이 존재한다는 현실을 제대로 알고, 한국이 국제사회에서 소외되지 않도록 힘을 키워야 한다. 그렇지 못하면 안타깝지만 우리 선조들의 과거보다도 못한 미래를 후손들에게 물려줄 수 있다는 노파심을 떨쳐버릴 수 없다. 노파심은 늘 기우로 끝났던 경험이 이번에도 되풀이되기를 바란다.

끝으로 이 책이 나오기까지 격려해주신 한승수 전 총리님, 신정승 전 대사님, 박근태 사장님, 이남식 회장님, 한우덕 차이나랩 대표님과 정성스럽게 책의 출간을 맡아주신 틔움출판의 장인형 사장님께 감사의 말씀을 전한다.

2018년 1월

중국 광저우에서

밝은 새해를 맞이하며

차례

향후 5년의 대중관계가 한국의 미래를 결정한다

불확실성 시대의 향후 5년

2017년 1월 말 스위스 다보스에서 연례 세계경제포럼(일명 다보스 포럼)이 개최되었다. 과거에는 미국, 유럽 등 서구 지도자들이 모여 무역자유화, 세계무역기구(WTO) 다자무역체제 구축, 제4차 산업혁명 등을 주요 화제로 논의하는 세계 최대의 경제포럼이었다. 당시 취임 직전이던 미국 도널드 트럼프 대통령의 미국 우선(America First)의 보호주의 성향, 영국의 유럽연합(EU) 탈퇴(Brexit) 결정 등으로 향후 세계경제의 불확실성이 확대되는 분위기 속에서 개최된 2017년 다보스포럼은 예전과 사뭇 달랐다. 중국의 시진핑 주석이 최고지도자로서는 처음으로 포럼에 참석해 스포트라이트를 받으면서 미국이나 EU보다도 오히려 주도적으로 세계화와 무역자유화를 강조했다. 과거에 비하면 주객(主客)이 전도된 양상이었다.

그동안 중국은 미국 오바마 행정부 주도하에 미국, 일본, 캐나다, 호주, 베트남 등 12개국을 중심으로 추진해온 환태평양경제동반자협정(TPP: Trans-Pacific Partnership)에 대응해 중국 주도하에 아시아 지역을 중심으로 한 역내포괄적경제동반자협정(RCEP: Regional Comprehensive

Economic Partnership) 추진으로 맞서왔다. 그러나 최근 들어 중국의 일부 정책 연구자들은 오바마 대통령이 수년 동안 공을 들여온 TPP 참여를 트럼프 대통령이 철회하기로 결정하자, 중국이 RCEP뿐만 아니라 아태 지역 국가들과 관계 증진과 무역 마찰 해소를 위해 TPP에 가입할 것을 건의하고 나섰다. 거기에 TPP 일부 회원국들도 미국이 탈퇴하면서 공동체 이익이 훼손될 것을 우려한 나머지 미국의 자리를 중국이 대신 해야 한다는 주장까지 하고 있다. 물론 중국의 경제 통상 환경에 비추어볼 때 TPP 가입이 실현될 가능성은 희박하다.

미국 트럼프 대통령은 한 발 더 나아가 2017년 6월에 전 세계 온실가스 감축을 위해 195개국이 서명한 파리기후변화협약에서 탈퇴를 선언했다. 이어 10월에는 유네스코(UNESCO: 유엔교육과학문화기구) 탈퇴를 선언하기도 했다. 미국이 세계에서 리더십을 포기하는 것은 물론, 단순히 기후변화협약에서뿐만 아니라 제2차 세계대전 이후 유지해온 미국의 리더십과 서구 진영의 결속이 무너지는 순간이었다. 반면, 시진핑 주석은 집권 이래 '인류운명공동체'라는 슬로건을 내걸고 국제사회에서 미국이 빠져나간 공백을 대신하려고 한다.

우리가 살고 있는 오늘의 세계는 포퓰리즘과 보호무역주의, 자국우선주의의 환경 속에서 각국이 서로의 입장을 내세우고 있어 매우 혼란스럽고 불확실하다. 역사가들은 1820년을 전후하여 서양이 동양을 경제적으로 능가하기 시작한 것으로 기록한다. 어쩌면 후세 역사가들은 2017년을 동서양의 힘의 균형이 재역전되기 시작하면서

'중국의 시대'로 가는 원년(元年)으로 기록할 것이다.

2018년은 중국의 개혁개방 40주년이 되는 해이며, 한중 양국 지도자의 임기가 사실상 새로 시작하는 해다. 한국은 문재인 대통령이 2017년 5월 취임해 8개월간 탄핵 정국의 어두운 터널과 신정부의 출범 준비 기간을 넘어 안정적인 국정 운영이 기대된다. 중국은 2017년 10월 18일에 개막된 제19차 당대회에서 시 주석의 재임이 확정되어, 2018년 3월 양회(兩會, 전국인민대표자대회, 전국인민정치협상회의)를 통해 국가 주석으로 공식 승인된 후 집권 2기의 5년 임기를 시작한다. 시 주석은 '당의 핵심'으로서 과거 중국의 어느 지도자보다도 강력한 권력과 지도력을 발휘할 것이다. 한중 관계는 어느 시기나 늘 중요하지만, 특히 두 정상이 집권하는 향후 5년은 한국의 미래를 결정하는 중요한 시간이 될 것이다.

중국의 고속철도 굴기

필자가 지난 세기말부터 중국 업무에 관여하기 시작한 이후 20년간 외교관 신분으로 중국 경제를 바라본 바에 의하면, 1999년 베이징에 부임할 때만 해도 중국이 큰 시장을 배경으로 거대한 잠재력을 가지고는 있었지만 그 미래에 대해서 반신반의했다. 특히, 서구 경제학자들의 부정적인 전망이 많았다. 당시 중국의 1인당 GDP는 1,000달러 미만이었는데, 필자가 주 중국 대사관에서 했던 일은 중국 정부에 경제 원조(ODA: 공적개발원조)를 제공하는 것이었다. 당시 황사 대처를 위해 한국 정부는 중국에 500만 달러 규모의 조림사업 지원을 결정했고, 필자는 낙후된 중국 서부 지역의 구석구석을 다니며 한국이 원조할 조림사업 후보지를 찾아다니던 기억이 아직도 생생하다. 얼마 전까지 한국이 중국에 원조를 주었다는 생각을 하면 실로 격세지감이 들지 않을 수 없다.

1998년 11월 당시 필자는 대사관 부임 직전 외교부 내 중국 경제 담당 과장으로서 김대중 대통령의 중국 국빈 방문을 수행했다. 한국 정부는 중국에 70억 원 규모의 차관을 제공하고, 한중 경제 협력 사업으로 금융 협력, 철도 교류 협력, IT 분야 협력, 환경 협력, 원자력 협력 등 5대 분야 경제 협력 과제를 제시했다. 불과 20년도 채 지나지 않은 때의 일이다. 그중 철도 교류 협력인 고속철도 관련 지원 사업은 한국이 프랑스 기술을 이용한 KTX를 막 도입해 성공적으로 운영하기 시작함에 따라, 고속철도 도입을 염두에 두고 있던 중국에 고속철도 운영 기술을 전수하려 했던 것이다. 그런데 지나고 보니 그것은 우리의 섣부른 희망에 불과했다. 중국은 광활한 영토에서 여객 이동과 물류 수송을 위해 고속철도가 필요했고, 이를 건설하는 기술이 필요했던 것이다. 한국이 생각한 단순한 고속철도 운영 기술 정도가 아니었다.

사실 여기에 걸려든 나라는 독일과 일본이다. 지금도 일본 외교부 관료들을 만나면 일본의 신칸선(新幹線) 기술을 중국에 빼앗긴 것에 통렬한 자아비판을 늘어놓는다. 일본은 자신들이 방심한 틈을 타 중국이 신칸선 기술을 가져갔다고 보는 것이다. 중국은 이미 독일과 일본의 기술을 모방해 고속철도를 건설했고, 2017년 9월부터는 자체 기술로 전 세계에서 가장 빠른 시속 350㎞ 고속전철(베이징에서 상하이 구간을 4시간 30분에 운행한다)을 운영하기 시작했다.

중국 내 총 고속철도 노선에서도 2017년 말 현재 지구의 반 바퀴를 넘는 2만 2,000㎞의 고속철도망을 깔아 운영하고 있다. 이는 전 세계 고속철도망의 60%에 달하는 길이로 프랑스, 일본 등 전 세계 고속철도 노선을 합친 것보다 길다. 여기에 머물지 않고 중국은 이제 고속철도의 원천 기술 보유국인 일본, 독일, 프랑스 등과 경쟁하면서 자신의 고속철도 기술을 동남아시아, 북미, 유럽 등지에 수출했거나, 수출 확대를 추구하고 있다. 또한, 중국은 시 주석이 역점을 두고 있는 다목적 대외 협력 사업인 '일대일로 전략'과 연계해 중국산 고속철도로 전 세계를 연결하려 하고 있다.

중국의 부상(崛起: 굴기)은 고속철도 분야뿐만이 아니다. 중국은 세계 경제학자들의 회의와 우려를 비웃듯이 1997년 아시아 금융위기, 2008년 세계 경제위기를 잘 이겨내면서 미국과 견주는 소위 G2 국가로 성장했다. 중국은 세계 무역의 0.7%를 점하던 1978년 개혁개방정책 채택 이래 쉬지 않고 달려왔고, 2001년 세계무역기구 가입을 통해 세계 무역 질서에 동참한 이래 양적으로뿐만 아니라 질적 성장을 거듭해 2017년에는 세계 무역의 30%를 점하는 국가가 되었다. 최근 세계경제의 침체와 중국의 장기 고도성장에 따른 피로에도 여전히 6.5%대의 성장률을 유지하면서 몸집을 불려가고 있다. 성장 동력 산업을 기존의 제조업 중심에서 IT와 서비스 산업으로, 수출 중심에서 내수 중심 경제로 전환하고, 21세기 제4차 산업혁명을 주도하겠다고 하면서 G2에서 G1을 향해 달려가고 있다.

중국인의 반성과 우리의 각오

인류 역사를 돌아보면 기원전 2세기부터 기원후 3세기까지 중국 한나라와 서양 로마제국이 각각 대륙을 달리하면서 지구의 양쪽에서 전성기를 만들었다. 당시 어느 쪽이 더 강성했는지는 비교하기 어렵지만, 적어도 서로마제국이 멸망한 5세기 이후부터 18세기 말까지 오랜 시간 지구상에서 최강이며, 최고 부자인 국가는 틀림없이 중국이었다. 그러한 중국이 영국의 산업혁명 이후 1840년 아편전쟁으로 온 국토가 갈기갈기 찢기는 수모를 당했다. 이후 중국인들은 와신상담을 거듭해 100년이 지난 1949년 가까스로 나라를 다시 통일하고, 이후 또 다른 100년 동안 18세기 이전의 영광을 회복하기 위해 각오를 다지는 듯 보였다.

필자는 시진핑 주석이 일본 총리와 미국 대통령 등 세계 지도자들을 만날 때 보이는 장엄한 얼굴과 얕은 미소에서, 그리고 그가 확신을 갖고 강력하게 추진하는 부패와의 전쟁에서 중국인의 비장한 반성과 각오를 느낀다. 나침반, 화약, 종이, 인쇄술 등 인류의 4대 발명을 가장 먼저 이룬 중국이 왜 서양의 무력에 손을 들었는가? 유럽보다 앞서 대항해시대를 열었던 중국이 왜 18세기 이후 뒤처졌는가? 왜 대외 개방과 개혁을 게을리했는가? 그들은 이런 반성 속에서 해법을 마련하고 새로운 각오를 다지고 있는 것으로 보인다. 중국은 실로 '중화 민족의 위대한 부흥'을 목표로 '100년의 마라톤'(The Hundred-Year Marathon, 마이클 필스버리, 2016년 출간)을 뛰며 21세기 중엽에는 중국의 르네상스를 이루어 미국을 제치고 결승선에 먼저 도착하는 '중국의 꿈'(시진핑, 2012년 출간)을 꾸고 있는 것이다.

그러나 과연 70여 년 전까지 쓰라린 일제 식민지를 경험한 한국의 지도자들은 중국 지도자들과 같은 각오를 하고 있는지 궁금하다. 한국의 각계 지도자들이 이렇게 안이해도 되는 것인가? 한국 기업들은 1인당 GDP 3만 달러 문턱에서 지난 10년간 스스로 무장해제하고 있는 것은 아닌가? 한국 국민은 너무 빨리 샴페인을 터뜨린 것은 아닌가? 우리 모두 스스로 자문해야 할 때다.

중국의 위협과 위험, 그리고 한국의 기회

이 책은 한국에게 특별히 중요한 향후 5년을 잘 준비하고 불확실한 시대에 살아남기 위해 지난 20년간 두 차례 중국 근무 경험을 통해 필자가 느끼고, 배우고, 얻은 것을 기초로 정리한 것이다. 본문에서는 '중국 경제가 한국에 주는 위협(Threat)', '중국 경제에 내재된 문제점과 위기(RIsk)', '부상하는 중국 경제와 시장이 한국에 주는 기회(Opportunity)' 즉, 우리에게 비춰지는 중국의 세 가지 얼굴을 살펴보면서 급속히 변화하는 국제 정치·경제 환경하에서 한중 관계를 새롭게 정립하는 데 필요한 것들을 정리했다.

또한, 시 주석 집권 2기에 접어들면서, 지난 5년 집권 1기 동안 중국 정부가 내세운 '13.5 경제계획', '공급측 구조개혁', '중국 제조 2025', '인터넷 플러스', '일대일로' 등 핵심 경제 정책들을 함께 분석했다. 그동안 우리가 듣고, 보고, 알고 있던 중국 경제에 대해 다시 한 번 생각해보고, 체계적이고 일관성 있는 지식으로 부상하는 중국과의 관계를 대비하는 것이 필요했기 때문이다.

제4차 산업혁명 시대가 제자리를 잡아가게 될 향후 5년 동안 한국 정부, 기업, 국민이 어떻게 세계의 흐름을 따라가고, 중국의 변화 속도 이상으로 먼저 준비하며, 대응하느냐에 따라 한국의 미래, 나아가 우리 자녀 세대의 미래가 결정될 것이다. 필자는 위기에 강한 한국 국민의 지혜와 각성이 새로운 한중 관계를 정립하고, 불확실성 시대의 험난한 파고를 이겨내 우리의 밝은 미래를 건설해나갈 것임을 기대한다.

제 1 부

중국 경제의 위협

중국은 오래전부터 '하늘을 나는 용(dragon)'에 비교되었다. 18세기 후반 영국에서 산업혁명이 일어나기 전까지 중국은 지구상에서 압도적인 G1 국가였다. 한때는 전 세계 GDP의 절반을 차지했다는 추산도 있다. 중국 동쪽 작은 반도에 사는 한국의 선조들은 늘 강력한 중국의 눈치를 보며 살 수밖에 없었다. 그러나 19세기와 20세기를 거치면서 근대화에 뒤처진 중국의 위상은 1840년 아편전쟁과 1895년 청일전쟁의 패배로 비참하게 추락했다. 그리고 한 세기 와신상담의 시간이 지나 1949년 마침내 상처만 남은 중국은 가까스로 하나로 통일되고 30년간의 내부 통합 과정과 30여 년간의 개혁개방의 과정을 거쳐왔다.

한편, 한국은 구한말과 일제의 식민 지배, 국토 분단 등의 암울한 역사를 거쳤으나, 현대에 들어 산업화와 민주화에 성공해 25년 전인 1992년 8월 유사 이래 처음으로 중국과 대등한 관계에서 국가 간 외교 관계를 맺을 수 있었고, 이후 정말 잠깐 동안(약 10년)이지만 중국에 경제 원조를 제공하기도 했다. 그러나 21세기가 되어 중국은 다시 한 마리 용이 되어 하늘을 날며 G2 국가로 부상했다. 한국에게 중국은 19세기 이전과 같은 위협적인 존재로 등장하고 있는 것이다.

중국이 우리에게 주는 위협은 직접적인 것과 간접적인 것으로 나뉜다. 중국이 G2 나아가 언젠가 G1 국가가 되어 사안에 따라 정치적이든 경제적이든 강제적인 힘으로 한국에 압력을 가하는 직접적인 위협이 될 수도 있다. 21세기 성장 동력 산업을 찾아가는 경쟁에서 중국이 한국보다 먼저 경쟁력을 갖춰 우리의 먹을거리를 선점한다면 간접적이나마 그 역시 큰 위협이 된다.

제1부에서는 중국 경제가 그동안 경쟁력을 갖추면서 성장할 수 있었던 배경으로 꼽히는 국가 거버넌스와 젊은 활력, 광활한 시장과 풍부한 자금력, 인터넷 플러스와 개혁·개방 및 혁신·창업 현황 등에 대해 살펴본다. 또 이러한 경쟁력을 잘 활용해 최근 중국의 혁신 산업을 이끄는 선도 기업인 화웨이, BYD, DJI와 이항, BAT, BGI 등을 각각 살펴본다.

1 G2에서 G1을 향하는 중국

漢國이 아닌 中國

중국 국민의 약 92%는 농경민 출신의 한족(漢族)이다. 이들은 기원전 202년에 첫 중국 통일국가인 진(秦)나라(B.C. 221~B.C. 206)를 무너뜨려 천하를 재통일하고 이후 약 400년간 통치한 한(漢)나라를 건설했다. 한나라는 기원전 108년에 고조선을 멸망시키고 한사군(漢四郡)을 설치한 것으로도 우리에게 잘 알려져 있다. 한족은 자신의 국명을 고유명사인 한(漢)으로 결정하고, 한족 자신이 중원(中原)에 세운 나라라는 의미에서 그들이 사는 지역을 국명이 아닌 보통명사 중국(中國)으로 부르기 시작했다.

이와 같이 중국 국민은 자신들이 늘 세계의 중심에 있고, 동서남북 주변의 민족과 국가는 동이(夷), 서융(戎), 남만(蠻), 북적(狄) 등 오랑캐, 야만인, 도적으로 생각하는 자기중심적 세계관을 갖고 있었다.

이러한 중국 국민의 세계관은 1840년 아편전쟁으로 무너지기 시작했고, 1895년 청일전쟁의 패배로 산산이 부서졌다. 그러나 100년이 지난 오늘날 중국은 다시 일어서고 있으며, 1949년 신중국(新中國) 성립 후 100년이 되는 2049년에는 또다시 명실공히 중국(中國),

중국의 역사 구분

하(夏, B.C. 2070~B.C. 1600)
전설로만 전해져온 중국 최초의 국가, 고조선 단군왕검 개국 신화(B.C. 2333)

은(殷) 또는 상(商)(B.C. 1600~B.C. 1046)
은나라 또는 상나라라고 하며, 발전된 청동기 문명을 바탕으로 국가 권력 형성 시작

서주(西周, B.C. 1046~B.C. 771)
중국의 발전이 가파른 상승세를 타기 시작한 주나라

춘추시대(春秋時代, B.C. 770~B.C. 476)와 전국시대(戰國時代, B.C. 475~B.C. 221)
진나라의 등장 이전 중국 천하가 사분오열되어 전쟁이 잦았던 시대, 알렉산더 대왕 동방 원정(B.C. 334)

진(秦, B.C. 221~B.C. 206)
최초의 통일왕조, 시안(西安)의 진시황 병마용으로 유명

한(漢): 서한(B.C. 206~A.D. 25)과 동한(A.D. 25~A.D. 220)
중국인(한족) 정체성의 기원인 유방의 한나라, 고조선 멸망(B.C. 108 - 한사군 설치), A.D. 1세기 신라(혁거세), 고구려(주몽), 백제(온조) 3국 건국

삼국시대(三國時代, A.D. 220~A.D. 280)
『삼국지』의 주인공 위(조조), 촉(유비), 오(손권)의 3국 시대

진(晋): 서진(A.D. 265~A.D. 316)과 동진 16국(A.D. 317~A.D. 420)
로마제국 동서 분열(395년)

남북조(南北朝, A.D. 420~A.D. 589)
서로마제국 멸망(476년)

수(隋, A.D. 581~A.D. 618)
진나라 이후 재차 고대 통일국가 성립

당(唐, A.D. 618~A.D. 907)
실크로드를 통한 동서양 교류 활발, 이태백 등의 중국 문화 발전 시기. 7세기 백제·고구려 멸망, 신라 3국 통일(676년)

오대십국(五代十國, A.D. 907~A.D. 960)
안녹산(安祿山)의 난에 의한 당나라 멸망 이후 송나라 건국 때까지 혼란의 시대, 왕건의 고려 건국(918년)

북송(北宋, A.D. 960~A.D. 1127)과 남송(南宋, A.D. 1127~A.D. 1279)
중앙집권체제 강화를 이룬 통일왕국 시대, 거란족의 요(遼, A.D. 916~A.D. 1125)와 여진족의 금(金, A.D. 1115~A.D. 1234)에 이어 북방의 몽골족이 세운 원(元)에 의해 송나라 멸망, 유럽 약 200년간의 십자군원정 시기(A.D. 1095~A.D. 1272)

원(元, A.D. 1206~A.D. 1368)
한족 이외의 민족(몽골족)이 처음으로 중국 대륙 장악

명(明, A.D. 1368~A.D. 1644)
한족의 중국 탈환, 고려 멸망과 이성계의 조선 건국(1392년), 유럽 르네상스 시작(1400년경), 동로마(비잔틴)제국 멸망(1453년), 콜럼버스의 아메리카 신대륙 발견(1492년), 영국 청교도혁명(1642~1649년)

청(淸, A.D. 1644~A.D. 1911)
중국 역사상 두 번째로 한족 이외의 민족(만주족)이 중국 대륙 장악, 마지막 황제의 나라, 프랑스 혁명(1789년), 나폴레옹 황제 즉위(1804년), 미국 남북전쟁(1861~1865년), 일본 메이지유신(1868년), 청일전쟁(1895년), 조선의 국호를 대한제국으로 개정(1897년), 러일전쟁(1904년), 일본의 한국 병탄(1910년)

중화민국
쑨원의 신해혁명(1912년), 제1차 세계대전 발발(1914년)

중원을 넘어 전 세계 유일의 G1 국가가 되기 위해 분발하고 있다. 중국 경제의 굴기(崛起)와 함께 자신들이 천하의 중심이라는 중국 국민의 세계관도 점차 살아나고 있다.

시 주석은 2017년 10월 제19차 당대회에서 '신시대 중국 특색의 사회주의 사상'을 언급하면서 "지금부터 2020년까지 소강사회(小康社會) 건설 완수를 위해 노력하고, 2020년부터 21세기 중엽까지를 2단계로 나누어, 제1단계인 2035년까지 소강사회를 바탕으로 진일보된 사회주의 현대화를 이룩하고, 제2단계인 21세기 중엽까지 부강하고, 민주적이며, 문명적이고, 조화롭고, 아름다운 사회주의 현대화 강국을 건설한다"는 중국의 G1을 향한 구체적인 로드맵을 제시했다.

시 주석은 2013년 집권 이래 유독 신(新)이 들어가는 용어를 많이 사용하고 있다. '신창타이(新常態)', '신형대국관계', '신형국제관계', '신시대(新時代)' 등이다. 필자가 듣기에는 국제환경의 변화뿐만 아니라, 중국도 더는 과거의 중국이 아니라 G1 국가가 될 수 있는 기반을 마련한 새로운 나라가 되었다는 의미로 들린다.

중국 경제의 양적·질적 성장

올해로 중국은 개혁개방 40주년을 맞는다. 중국 경제는 1978년 개혁개방 이후 지난 40년간 고도성장을 거듭했다. 평균 10%에 달하는 지구상 전례가 없는 최장기 경제성장률을 보이며 1949년 최빈국 수준에서 이제는 약 13억 7,000만명의 1인당 GDP가 2015년 8,000

달러를 넘어 1만 달러에 육박하는 국가로 성장했다. 이로써 총 GDP에서 중국(11조 4,000억 달러)은 미국(18조 2,000억 달러)에 이어 G2 국가가 되었다. 구매력 기준에서는 2014년 이미 미국을 능가했으며, 총 GDP에서도 10년 내 미국을 능가해 세계 제1위의 자리를 차지할 것임이 틀림없다. 중국은 이미 오래전에 세계 제1의 수출 대국이 되었으며, 세계 최대 인구 국가로 세계 최대의 공장이자 시장의 역할을 동시에 하고 있다. 중국 자체의 발전뿐만 아니라 세계 경제성장의 견인 역할도 함께 하고 있는 셈이다.

중국 정부는 13.5 규획 기간(2016~2020)에 평균 6.5%의 GDP 성장 목표를 갖고 있다. 이러한 성장 추세라고 하더라도, 중국의 1년간 GDP 성장분은 인도네시아의 1년간 GDP 총량과 같고, 중국의 3년간 GDP 성장분은 인도의 1년간 GDP 총량에 버금간다. 다시 말해, '2017년 말 중국 GDP = 2013년 말 중국 GDP + 인도네시아 GDP + 인도 GDP'로 4년 만에 중국 경제가 인도네시아와 인도 경제 전체를 합한 것만큼 커졌다는 것을 의미한다. 매년 중국 경제는 실로 눈덩이처럼 불어나고 있는 것이다.

특히, 한국에 중국 경제의 중요성은 무엇과도 비교하기 힘들 정도로 커졌다. 중국은 한국의 최대 교역상대국(2위 미국, 3위 베트남, 4위 일본)으로 전체 교역에서 약 25%를 차지한다. 한국의 제2위 해외 투자 대상국(1위 미국, 3위 베트남)이고, 제3위 외국인 직접투자국(1위 미국, 2위 일본, 4위 네덜란드)이다. 또한, 중국은 한국을 방문하는 외국인 관광객 수에서도 1위를 기록하고 있다. 2016년 약 1,700만 명의 외국인 관광객 중 약 800만 명 이상의 중국인 관광객이 한국을 방문하여 대(對)중국 여행수지 흑자를 기록하는 데 기여했다(2017년은 사드 배치 결정에 대한 중국 정부의 보복 조치로 관광객 수가 전년 대비 절반 수준으로 급감했다). 최근 들어서는 한국 학생들이 가장 선호하는 해외 유학지로 미국보다도 중국을 선택하기 시작했다.

한국무역협회 산하 국제무역연구원이 2017년 2월 발표한 '세계 수출시장 1위 품목으로 본 한국 수출의 경쟁력 현황' 보고서에 의하면, 2015년 전체 5,579개 품목 가운데 중국은 31.6%인 1,762개 품목에서 점유율 1위를 차지했다. 뒤를 이어 독일이 638개 품목, 미국이 607개 품목, 이탈리아가 201개 품목, 일본이 175개 품목으로 2~5위를 차지했고, 한국은 68개로 14위를 차지했다. 중국은 전년 대비 128개 품목이 1위에 추가되었고, 독일과 일본 등은 1위에 오른 품목이 오히려 감소되었다고 한다. 세계시장에서 중국의 거침없는 약진을 볼 수 있으며, 중국이 G1을 향한 착실한 걸음을 내딛고 있는 것을 느낄 수 있다.

물론 중국 경제도 이제 한계에 도달했다는 비판도 있다. 최근 들어 중국 경제도 과거와 같은 10% 성장은 불가능하게 되었다. 2010년 이후 20분기 연속 하락해 2016년 3분기 6.7%로 최저점을 찍은 후, 2017년 상반기에 다소 상승해 6.9%를 기록함으로써 6% 후반대의 안정적인 성장세를 유지하고 있다. L자형 성장 추세로 소위 뉴노멀(신창타이) 시대에 들어선 것이다. 이에 따라, 중국 정부는 2016년 3월 채택한 '13.5 규획 2016~2020(경제발전 5개년 계획)'을 통해 대내적으로는 제조업 중심의 성장 전략에서 제3차 서비스 산업 중심으로, 투자에서 소비 중심으로, 대외적으로는 수출 중심에서 내수 중심의 성장 모델로 탈바꿈하고 있다. 이는 향후 경제 수치보다는 생산성 향상, 환경보호, 분배개선 등 균형적이고 지속가능한 성장을 추진하겠다는 의지의 표현이다.

다시 말해 중국 경제의 중장기적 성장세 하락 추세는 불가피하지만, 중국 경제는 십수 년 내 외형적으로는 세계 GDP 규모에서 제1의 경제 대국이 될 것이며, 장기간 그 지위를 유지할 것으로 예상된다.

그 이유는 다음과 같다. 첫째, 약 13억 7,000만 명의 거대한 소비시장이 존재한다. 둘째, 항공, 우주, 고속철도 등 수준 높은 과학·기술력을 바탕으로 지속적인 연구개발(R&D) 투자를 시행하고 있다. 셋째, 중국인들의 타고난 기업가 정신과 젊은 층을 중심으로 한 혁신·창업 정신과 이를 적극 지원하는 정부 정책이 마련되어 있다. 넷째, 중국은 31개 성·시·자치구를 가진 거대 국가로 규모의 경제를 통한 비용 절감과 유사 동종 산업 간 경쟁과 연관 산업 간의 협력을 통해 발전을 도모한다. 다섯째, 강력한 국가 지도력을 갖고 있다. 그리고 중장기 과제이기는 하지만 홍콩에 이어 타이완과 통일이 이뤄진다면 양적뿐 아니라 질적으로도 안정적인 성장이 더욱 오래 지속될 것이다.

제4차 산업혁명을 선도하다

세계는 제4차 산업혁명의 시대에 들어섰다고 한다. 제4차 산업혁명은 최근 스위스 다보스포럼 등 각종 국제경제회의의 단골 주제가 되었다. 2017년 5월 한국 대통령 선거에서도 주요 논점이 되어 우리에게도 현실로 다가와 있는 주제다.

18세기 말 영국에서 시작된 증기기관의 발명과 이를 이용한 기계화로 대변되는 제1차 산업혁명, 100년 후 19세기 말 전기 동력과 내연기관을 이용한 대량생산의 제2차 산업혁명, 다시 100년이 지나 20세기 후반 인터넷이 이끄는 자동화·정보화 생산시스템이 주도하는 제3차 산업혁명을 지나, 산업혁명의 주기를 크게 앞당겨 21세기 초인 지금 실재와 가상의 세계가 통합되어 사물을 자동적·지능적으로 제어할 수 있는 시스템이 구축되는 제4차 산업혁명의 시대에 들어섰다.

제4차 산업혁명의 핵심은 각종 데이터를 수집, 저장, 분석하고 전달하는 데 필요한 데이터 활용기술(ICBM: Internet of Things + Clouding Computer + Big Data or Block Chain + Mobile)과 인공지능(AI: Artificial Intelligence)의 결합으로, 기계 또는 로봇에 인간의 고차원적 정보처리 능력(인지, 학습, 추론)을 구현해 대량의 정보를 분석, 해석, 활용하게 하는 것을 말한다. 제1차에서 제3차까지의 산업혁명은 영국과 미국이 주도했다고 하면, 제4차 산업혁명은 과연 누가 주도하고, 누가 주인공이 될 것인가? 한국은 제4차 산업혁명에서 주역이 될 수 있는지,

거기에 동참할 수 있는지, 아니면 낙오자로 남을 것인지 매우 중요한 시점에 와 있다. 다가오는 미래 최후의 승리자가 되기 위해서는 제4차 산업혁명 시대에서 퍼스트 무버(first mover)가 되어야 한다.

중국은 중국 제조 2025(Made in China 2025) 정책과 인터넷 플러스 정책을 기반으로 중국식 제4차 산업혁명을 추진하고 있다. 다양한 민간 자본으로 인터넷 기반의 혁신을 통해 경쟁 효과를 극대화하고, 차세대 정보 기술과 소프트웨어 발전을 통해 제조 강국을 건설하고, 현대적 서비스업을 발전시켜나가고 있다. 또한, 중국 정부의 체계적이고 강력한 지원 정책하에 산·관·학 및 이종 산업 간, 해외 기업 간 협업이라는 융합을 독려하는 생태계가 조성되고 있다.

최근 바이두, 알리바바, 텐센트 등 소위 BAT로 대표되는 인터넷 기업의 빠른 성장이 중국의 제4차 산업혁명을 선도할 수 있는 강점이다. 특히, 거대 인구를 바탕으로 한 방대한 원천 데이터 구축으로 빅데이터 산업의 발전 가능성이 매우 높다. 2020년에 이르면 중국은 전 세계에서 사용하는 하루 총 디지털 데이터양 40ZB(제타바이트) 중 21.5%를 점할 것으로 전망된다. 이와 같이 중국은 제4차 산업혁명의 핵심 분야인 빅데이터, 인공지능, 로봇, 모바일 인터넷, 사물인터넷 분야에서도 다양한 연구와 투자로 제4차 산업혁명의 선도자로서 G1의 길을 향해 차근차근 걸어가고 있다.

2017년 5월 말 「뉴욕타임스」는 '중국이 미국보다 인공지능 분야에서 한 수 앞서나?'라는 기사에서 "기술 분야에서 힘의 균형이 서구에서 중국으로 이동하고 있다"고 밝히고, 그 근거로 "중국 정부는 인공지능 연구를 위해 이미 수십억 달러를 투자하고 있고 앞으로도 계속 투자할 생각인 반면, 미국의 트럼프 정부는 오바마 행정부에 비해 인공지능 연구 지원금을 오히려 10% 줄이고 있다"고 평가했다.

미국과 중국의 경쟁은 이미 곳곳에서 시작되었다. 실제 중국 정부는 2030년 미국을 능가하는 과학기술 강국이 되기 위해 2017년 7월에 '신세대 인공지능 발전계획'을 발표했다. 창의력이 부족한 교육환경 탓으로 중국이 미국을 능가하기는 힘들 것이라는 전망도 있다. 그러나 중국이 2000년대 '세계의 공장'에서 2020년대 '세계의 시장'으로, 2030~2040년대 '세계 혁신의 중심지'로 발전해나갈 것이라고 주장하는 사람도 있다. 지금까지 제4차 산업혁명을 주도하는 국가는 역시 원천 기술을 갖고 있는 미국이지만, 훗날 그 결과를 향유하는 주인공은 누가 될지 좀더 지켜보아야 할 것이다. 다만, "Data is a new oil, and AI is the new electricity"란 말을 떠올리면, 20~21세기 에너지원인 석유와 전기를 데이터(Data)와 인공지능(AI)이 대체하는 시대가 오고 있음이 확실하다. 중국이 이미 신시대에 있어 퍼스트 무버가 되고 있다는 증거는 여러 곳에서 목격되고 있다.

G1 국가의 이웃으로 산다는 것

중국 정부가 공식적으로나 비공식적으로 언급한 바는 없으나, 중국이 우리에게 주는 위협적인 첫 번째 요소는 18세기 말까지 중국이 누렸던 G1 국가의 위상을 되찾아보겠다는 범국가적 의지라 할 수 있다. 중국은 대외적으로 G1이 되겠다든지 패권(hegemony)을 지향한다든지 하는 말을 절대 하지 않는다. 그러나 중국의 목표는 거기에 있다. 다만, 중국은 미국과 G2가 되고, 잘 하면 미국을 능가할 수도 있는 기반을 마련할 것이라 한다. 신시대(新時代)에서 스스로 G1이나 패권을 지향하기보다는 손자병법에서와 같이 자신의 오류를 최소한으로 줄이고, 경쟁국(미국)의 실수에 의해 목적을 이루는 전략을 취하고 있는 것이다.

중국은 국가 체제상 정부, 기업, 국민이 늘 한 방향으로 달리고 있다. 중국이 언젠가 G1 국가가 된다는 의미는 중국 경제와 밀접한 관계에 있는 한국에 좋든 나쁘든 큰 영향을 주게 될 것임이 틀림없다. 영토가 한국의 100배에 달하며, 한 해 태어나는 인구를 비교할 때 한국의 40배를 넘는 거대한 국가가 일으키는 바람은 한국에게 태풍이 될 수밖에 없다.

게다가 한국의 중국 의존도가 날이 갈수록 심화되고 있어 그 영향은 더 커질 수밖에 없다. 앞서 언급했듯이 한국 대외 교역의 25%가 중국과의 사이에서 이루어지고 있다. 한국에 오는 외국 관광객의 절반가량이 중국인이다. 한국 젊은이들의 최대 유학지가 중국이 되고 있다. 한반도 통일과 같은 정치·외교적 과제뿐만 아니라, 우리 경제에 미치는 중국의 영향력은 새삼 언급할 필요도 없다.

또한, 중국이 G1 국가가 되면 그동안 미국이 주도하던 세계경제

체제의 법과 질서를 정하는 데에 중국이 주도권을 잡을 수 있다. 물론, 사안에 따라 한국과 중국이 입장을 같이한다면 우리에게 도움이 될 수도 있다. 그러나 체제를 달리하는 중국이 한국과 다른 입장을 취하면서 자신의 입장만을 강요한다면 우리는 곤란할 수밖에 없다. 이미 한국은 사드 배치에 대한 중국의 보복 조치로 중국의 영향력을 실감한 바 있다. 더욱이 중국이 부지불식간에 자신들이 세계의 중심이고, 주변국들은 오랑캐에 불과하다는 전통적 세계관을 되살린다면, 이는 더욱더 위협적인 요소가 될 것이다.

미국과 중국이 한국에 가장 영향력 있는 나라이다 보니 우리는 G2라는 표현을 자주 인용하지만, 사실 외국에서는 G2라는 표현을 잘 쓰지 않는다. 중국도 G2라는 표현을 부담스러워한다. 2050년의 세계를 지금 예측하기는 어렵다. 그때까지 미국과 중국의 경쟁은 계속될 것이다. 2050년에 G1 국가가 등장한다고 하더라도 20세기 후반의 미국과 같이 절대적인 힘을 갖기는 어려울 것이다. 기존의 G7 국가가 있고, 수년 전부터는 G20 국가가 대두되었다. 또한, 중국, 인도, 브라질, 러시아, 인도네시아, 멕시코, 터키 등 E7(Emerging: 부상하는) 국가가 더욱 부상하게 될 것이기 때문이다. 즉, 21세기 중엽의 세계는 G1 또는 G2 국가가 있더라도 지금보다 더욱 다양화, 다변화된 모습을 보일 것이다.

그러면 중국이 이렇게 빠른 시간 내에 G1 국가의 지위를 내다볼 만큼 성장하게 된 배경은 무엇일까? 우선 오랜 세월 축적된 중국의 저력이 기본적인 바탕이다. 거기에 일관성 있는 국가 거버넌스, 젊은이들의 유연성과 활력, 광활한 시장을 기반으로 한 기술 도입과 풍부한 자금력, 개혁·개방, 혁신과 창업 정신, IT 기술 발전에 의한 모바일 인터넷 네트워킹 활용 능력 등을 그 요인으로 뽑을 수 있다.

2 국가 거버넌스의 힘

베이징 컨센서스 & 차이나 솔루션

미소 간 냉전 종식 이후 국제 정치학계에서는 거버넌스(Governance)라는 용어를 자주 사용한다. 이는 단순히 정치적 의미의 '통치'라는 개념을 넘어선 국가 또는 국가 간의 관계를 움직이는 정치·경제·사회적 구조와 기능을 포괄적으로 의미한다. 중국과 같은 거대한 나라의 국가 거버넌스를 한마디로 정의하기는 쉽지 않다. 많은 사람이 사회주의 국가인 중국을 자세히 들여다보면 볼수록 자본주의 국가보다도 오히려 자본주의적이라고 말하기 때문인 것도 있다.

한국을 비롯한 서구의 많은 나라가 '민주주의 시장경제'를 지향하고 있다. 우리는 다수에 의한 의사결정을 기본으로 하는 민주주의 체제가 갖는 장점을 잘 알고 있다. 1989년 민주주의 시장경제의 서방세계가 소련을 붕괴로 내몰면서 냉전의 승자가 되었다는 사실도 잘 알고 있다. 하지만 중국은 소련 붕괴 이전부터 사회주의 국가 중에서도 유일하게 자신이 구축한 '사회주의 시장경제' 체제를 지향해온 국가다. 소련과는 달리 1978년에 이미 기존의 공산당 일당이 지배하는 정치체제를 그대로 유지하면서도 구(舊)공산권 국가들이 유지해온 계획경제 체제를 버리고, 시장이 국가 경제를 주도하는 시장 경제 체제를 도입했다.

이러한 중국 특색의 사회주의 시장경제는 지난 30년이 넘도록 고도성장을 유지하는 견인차 역할을 해왔고, 많은 성과를 내왔던 것도 주지의 사실이다. 특히, '중국 특색의 사회주의 시장경제'는 1989년 톈안먼 사태, 1997년 아시아 금융위기, 2008년 세계 금융위기에서도 세계 어느 체제보다도 경제위기를 잘 극복했을 뿐만 아니라, 오히려 지속적이고 안정적인 성장을 이루어 위기마다 새로운 발전을

시진핑 주석은 누구인가

시진핑 주석은 2013년 3월 중화인민공화국 주석, 중화인민공화국 중앙군사위 주석, 중공중앙위 총서기, 중공중앙군사위 주석직에 올랐으며, 2018년 3월부터 5년간 국가 주석으로서 제2기 집권을 시작한다.

시 주석은 1953년 6월 15일 베이징에서 출생했다. 전인대 부위원장과 부총리를 지낸 공산당 원로 시중쉰(習仲勳)의 장남으로, 시중쉰은 1962년 마오쩌둥 시절 반당 집단으로 몰려 숙청되었으나 1978년 복권되어 광둥성 제2서기, 중앙서기처 서기 등을 역임했다. 이에 따라 시 주석도 1962년 9세의 어린 나이에 반동의 자식으로 몰려 집이 몰수되고, 16세의 나이에 옌안 지역으로 하방(下放)되어 22세가 되는 1975년까지 동굴에서 생활하는 등 힘든 젊은 시절을 보냈다. 이후 중국 개혁개방의 환경 속에서 칭화대학에서 화공학을 전공하고 1979년 졸업할 수 있었다. 1979년 이후 국무원에서부터 공직 생활을 시작한 시 주석은 허베이성 정딩현 당서기(1982~1985), 푸젠성(福建省) 샤먼시 부시장, 푸저우시 당서기, 푸젠성 성장(1985~2002), 저장성 당 부서기와 당서기(2002~2007), 상하이시 당서기(2007), 17기 중앙정치국 상무위원, 국가부주석(2007~2012) 등을 역임했다.

시진핑은 어린 시절부터 검소와 허례허식 배격 등이 몸에 배어 있으며, 뛰어난 친화력과 포용력으로 주변의 지지를 얻어왔고, 내면적으로는 강단 있는 성품으로 알려져 있다. 1987년 결혼한 부인 펑리위안(彭麗媛)은 국민가수(인민해방군 가무단 소장)로 아홉 살 연하이며, 딸이 한 명 있다. 여기에서 다룬 거버넌스와 관련해서는 『시진핑의 거버넌스 오브 차이나(Xi Jinping: The Governance of China)』(한국어판은 『시진핑: 국정 운영을 말하다』)라는 책에 잘 나와 있다. 중국 국무원 등이 시 주석의 연설문을 토대로 2014년 9월 제작했고, 시 주석의 국정철학을 전 세계에 알린다는 취지에 맞춰 지금까지 한국어를 포함하여 21개 언어로 160개 국가와 지역에 번역되어 출간되었다.

이끄는 견인차 역할을 해왔다. 그래서 시 주석은 집권 2기를 시작하면서 '신시대 중국 특색의 사회주의 사상'을 제창하고, 중국은 중국공산당 창건 100주년이 되는 2021년에 13억 7,000만 명의 모든 국민이 중류의 생활수준을 누리는 소강사회(小康社會, 소강[小康]은 중국말로 '모든 국민이 편안하고 풍족한 생활을 누리는 상태'를 의미한다. 우리말로 바꾸면 '전 국민의 중산층화'와 유사하다. 『논어』 「예기편」에 나오는 말로 사회발전의 두 번째 단계다. 1단계는 먹는 문제가 해결되는 온포[溫飽]사회이고, 2단계는 인간답게 살 수 있는 삶의 질이 보장된 소강사회이며, 마지막 단계는 모두가 평등하고 하나 되는 대동[大同]사회다)를 건설하고, 신중국 창건 100주년이 되는 2049년에는 현대화를 완성해 부강한 사회주의 국가(大同社會)가 된다는 뚜렷한 국가 목표를 제시하고 있다.

2011년 다보스포럼에서는 베이징 컨센서스(Beijing Consensus)가 화두가 되었다. 베이징 컨센서스는 "중국이 주도하는 권위주의 체제하의 시장경제 발전"을 의미하는 말로 2004년 골드만삭스의 고문이자 중국 칭화대학 겸직교수로 있던 조슈아 쿠퍼 라모(Joshua Cooper Ramo) 교수가 미국식 모델에 대비해 처음 사용한 용어다. 또 2008년 세계 금융위기로 서방 경제가 침체되는 가운데서도 중국 경제가 급성장을 거듭하자 자유시장경제의 모델이 되는 미국의 워싱턴 컨센서스에 대조되어 만들어진 용어다. 이는 정부 주도의 점진적이고 단계적인 경제 개혁과 조화롭고 균형 잡힌 발전 전략이 한 국가의 경제를 더욱 안정적으로 발전시킬 수 있다는 의미에서 사용되었다. 최근에도 이 용어는 자주 인용된다. 베이징 컨센서스가 외부에서 중국의 경제체제를 평가한 용어였다고 한다면, 시 주석 등장 이후에는 중국 스스로 자신의 체제를 평가하는 의미에서 '중국 방안(China Solution)'이라는 표현을 자주 쓰고 있다. 이는 중국 체제에 대한 자신감에서 우러나오는 표현이다.

그러나 정부 주도와 권위주의 체제가 오늘날 중국의 고도성장을 이루는 데 전적으로 기여했는지는 검토가 필요하다. 과연 사회주의 시장경제에서 이러한 고도성장과 발전을 이룬 근본적인 원동력은 무엇이었을까? 필자는 무엇보다도 거대한 시장을 바탕으로 기술과 자본을 유인하는 국가의 바른 정책이 주효했고, 중국인들의 우수한 노동력과 그에 비해 현저하게 낮은 임금으로 인한 경쟁력에서 벌어들인 부의 축적이 고도성장을 이루는 원동력이었다고 본다. 하나 덧붙인다면, 이 모든 것이 '시장'의 기능에 의해서만 이루어졌다고는 볼 수 없고, 중국 사회주의 시장경제 체제를 유지하는 광의의 국가 거버넌스(통치 구조와 기능) 힘이 효과적으로 작용했기에 가능했을 것이다. 즉, 민주주의 국가에서 자주 볼 수 있는 포퓰리즘으로 국론이 양분되거나 잘못된 방향으로 가기보다는 중국과 같이 안정적인 국가 지도력하에서 일사불란하고 지속가능한 정책으로 성과를 이룩하는 것이 효과적일 수 있다는 것이다.

중국 국가 거버넌스의 핵심은 덩샤오핑 이래 지금까지 나름 잘 운용되어온 중국 내 '광범위한 엘리트 집단(공산당)의 합의·공동인식

(broader elite consensus)'에 있다. 특히, 경제정책을 추진할 때 정부는 현상을 진단하고, 거시적인 중장기 계획에 따라 한정된 재원을 적절히 배분한 다음, 분야별 세부 사항은 시장 기능에 맡기는 식이다.

다시 말해 계획은 있되 규제는 없애는 방식의 행정이 베이징 컨센서스의 핵심이다. 중국의 사회주의 시장경제나 정부 주도의 점진적 발전계획 등을 논할 때 우리는 구소련적이고 공산주의적인 계획경제를 연상하는데, 중국의 경제체제는 공산당 중앙정부 주도임에는 틀림없으나 그 아래에서는 엄청난 자율 경쟁이 있다는 사실을 알아야 한다.

중앙정부는 13억 7,000만 명의 인구를 지배하는 지방의 31개 성·시·자치구 수반들 간의 경쟁을 늘 부추긴다. 예를 들면 중앙 차원에서 유사한 지역개발정책(예: 북부의 징진지[京津冀] 협동발전전략, 중부의 양쯔강 경제벨트, 남부의 웨강아오 대만구 [粤港澳 大灣區] 발전계획 등)을 승인하면 각 지방정부에 시행을 맡겨 상호간 치열한 경쟁을 유발시키고 그 결과를 비교 평가한다. 전국적으로 11개 성·시에 지정된 자유무역시험구와 12개 전자상거래 시범도시 등의 운영에서도 각 지방정부가 자율적으로 시행한 성과를 비교 평가한 후 지방간 경쟁을 유도한다. 중앙정부는 평가 결과를 해당 지방정부의 수반에 대한 인사에 반영하는 냉엄한 적자생존의 사회인 것이다. 과거에는 이런 과정에서 엉터리 수치가 보고되기도 하고 측근 위주로 인사평가를 하기도 했으나, 지금의 중국은 이러한 면에서 상당한 공정성을 유지하고 있다.

필자는 거대한 시장 능력, 중국인들의 우수한 노동력과 그에 비해 현저하게 낮은 임금에서 오는 경쟁력, 광범위한 엘리트 집단의 합의로 도출되는 올바른 국가 정책이 오늘날의 중국의 부상을 가져오는 데 큰 역할을 한 것으로 본다.

이것이 중국과 늘 비교되는 또 하나의 거대한 신흥 국가 인도와의 차이다. 인도는 스스로 지구상 최대 민주주의 국가라 자부한다. 그러나 그들은 중국이 가지고 있는 국가적 거버넌스와 국민적 절제(self-discipline)가 중국에 비해 상대적으로 부족해 거대한 잠재력에 비해 아직 중국과 같은 힘을 발휘하지 못하고 있다.

이제 중국의 국가적 거버넌스가 효과적으로 작동하는 대표적인 사례로 '5개년 경제개발계획', '개혁개방정책', '자유무역시험구'에 대해 간략히 살펴보자.

국가 5개년 경제개발계획

한국도 1960~1970년대 국가 5개년 경제개발계획을 마련해 국가 주도로 한정된 자원을 배분하며 구체적인 목표를 향해 매진하던 시절이 있었다. 물론 이러한 방식이 반드시 옳다고는 할 수 없으나, 경제 발전도상에 있는 국가에는 그 효율성을 인정하지 않을 수 없다.

그런데 이 방식에는 다음과 같은 몇 가지 전제 조건이 있어야 한다. 첫째 국가 상황에 대한 정확한 진단을 바탕으로 경제계획이 잘 만들어지고, 둘째 이 계획이 부정부패 없이 착실하게 실행되며, 셋째 민간에도 자유로운 개방이 허용되는 시장이 유지된다는 것이다.

중국은 그동안 12차에 걸친 5개년 경제개발계획을 시행해왔고, 현재는 2016년부터 제13차 5개년 계획(2016~2020)을 실행 중에 있다. 이를 13.5 규획이라고 하는데, 2020년 전면적 소강사회 건설을 위한 마지막 5개년 경제개발계획이다. 이 계획은 연평균 6.5% 성장, 2010년 대비 1인당 GDP 2배 달성을 기본 목표로 한다. 13.5 규획에서는 5가지 기본 이념을 제시하고 있다.

첫째, '혁신' 이념은 국가 발전의 핵심으로 '대중창업, 만중혁신(大衆創業, 萬衆革新)'을 위해 신산업·신동력·신기술 육성을 통해 질적인 경제성장을 도모한다는 것이다. 이를 위해 인터넷 플러스 정책, 중국 제조 2025 정책, 국가 빅데이터와 국가 과학기술 프로젝트 육성 정책 등을 시행하고, 국유기업 개혁 등 체제 개혁 노력도 지속적으로 확대해나갈 것임을 천명하고 있다.

둘째, '협조와 균형' 이념은 지역 간, 도시와 농촌 간 균형 등을 목표로 하고 있다. 이를 위해 도시화율을 60%로 제고하고, 신형도시화·농업현대화 등을 통해 도농 지역 간 조화 발전을 도모하려고 한다.

셋째, '녹색' 이념은 생태환경 개선을 기본 국책으로 부각시켜, 대기·수질·토양 오염 방지 행동계획 실행, 에너지 소비량 15% 감소, 이산화탄소 배출량 18% 감소, 대기 스모그 획기적 개선 등을 시행 목표로 내걸고 있다.

넷째, '개방' 이념은 국제경제 거버넌스에서 중국의 참여와 발언권 강화, 일대일로 정책으로 해외 진출 등을 통한 국제무대에서 중국의 역할 확대 등을 목표로 하고 있다. 그 밖에도 현대적 지적재산권제도 확립, 법치주의 강화, 시장에 의한 자원 배분, 서비스 무역 비중 확대, 네거티브 리스트 제도 적용 등을 정책 시행 목표로 삼고 있다.

다섯째, '공유(동반성장)' 개념은 자원의 효율적인 배분과 사용을 통해 지속가능한 발전과 민생을 개선하겠다는 의지의 표현이다. 공유 서비스 증대, 공평한 사회보장제도 수립, 의무교육 표준화, 소득격차 축소, 인구 고령화 대응을 위한 한 가구 두 자녀 정책 전면 실시 등을 시행 목표로 삼고 있다.

개혁개방정책과 지역개발정책

중국은 국가 5개년 경제개발계획 외에 1980년대 들어서부터는 국가 개혁개방정책을 일관성 있게 추진해왔다. 1980년대는 덩샤오핑의 주도로 선전(深圳), 광저우(廣州), 주하이(珠海) 등이 있는 '주장강(珠江) 삼각주'를 중심으로 한 개혁개방정책, 1990년대는 1992년 덩샤오핑의 남순강화(南巡講話)를 계기로 상하이, 장쑤성, 저장성의 '창장강(長江) 삼각주' 지역을 중심으로 한 개혁개방정책을 통해 상하이의 푸둥(浦東) 지역이 금융과 물류 분야로 발전하고 장쑤성과 저장성이 산업 클러스터로 발전했다.

2000년대 들어서는 개혁개방정책을 남방에서 북방으로 확대해 베이징, 톈진, 허베이성을 중심으로 한 '징진지(京津冀) 협동발전전략', '환발해경제권'과 동북 3성을 중심으로 한 '동북경제권', 개혁개방정책을 시안, 충칭(重慶), 청두(成都) 등 서부 지역으로 확장한 '서부대개발' 정책이 추진되어왔다.

1980~1990년대부터 시작된 '주장강 삼각주'와 '창장강 삼각주' 개혁개방정책 등 지역개발정책에 대해서는 뒤에서 다시 언급하기로 하고, 여기에서는 2000년대 이후 베이징을 중심으로 수도권 지역을 대상으로 한 발전계획으로 징진지 협동발전전략을 국가 거버넌스의 한 예로 살펴본다.

징진지 협동발전전략은 수도 베이징이 수용 능력 한계에 도달하면서 교통난, 주택난, 용수난이 심화되는 현상을 억제하고, 수도권의 균형발전을 위해 베이징과 성급 도시인 톈진 등 2개 직할시, 베이징과 톈진을 둘러싸고 있는 허베이성(冀: 중국에서는 각 성을 하나의 한자로 축약해서 표현하는데 허베이성은 지[冀]로 표현한다) 내의 33개 도시를 유기적이고 종합적으로 개발해 중국 북방의 성장 거점 지역으로 육성한다는 전략이다.

이 전략은 2000년대 초부터 연구되어오다가 시 주석이 2014년 2월 징진지 협동발전전략을 중대한 국가 전략으로 강조하면서 국가 중심 발전전략으로 더욱 부상했다.

그 내용을 살펴보면, 첫째 산업 재배치와 국제공항 건설 등 지역발전전략의 통합과 개혁을 통한 시너지 효과 제고, 둘째 고속도로·

철도망·지하철 건설 등 종합적인 교통체계 구축, 셋째 수자원과 삼림 보호, 대기 오염 개선 등 환경 보호를 핵심 과제로 삼고 있다.

이 가운데 신공항건설을 보자. 중국은 우리가 베이징에 갈 때 사용하는 기존의 '베이징수도국제공항'에 추가해 베이징 남쪽 46㎞ 지점에 총 800억 위안(13조 7,000억 원)을 들여 7개 활주로를 갖춘 세계 최대 허브공항을 건설하고 있다. 2019년부터 사용 가능한 불가사리 모양의 신공항은 연평균 승객 1억 명을 수송할 수 있는 어마어마한 규모다.

중국 정부는 징진지 협동발전전략에 이어 2017년 4월 초 이 전략을 강도 높게 추진하고 있다. 베이징에 과도하게 집중된 기능을 분산시키고, 공기 오염 등 환경문제를 해소하기 위해 베이징, 톈진, 허베이성의 중간지대에 있고 교통이 편리한 허베이성 내 지역에 슝안신구(雄安新區) 설립 계획을 발표했다. 이는 선전 경제특구, 상하이 푸둥신구에 이은 중국 내 세 번째 국가급 신구(新區)로 시 주석을 핵심으로 하는 공산당 중앙위원회가 국가 천년대계를 위해 전략적으로 결정했다고 한다.

초기에는 100㎢ 범위로 시작해 최종적으로는 뉴욕이나 싱가포르의 약 3배 크기인 2,000㎢의 범위로 확대하는 원대한 중장기 발전계획이다. 이 계획과 관련해서 개발 책임자인 쉬쾅디(徐匡迪) 전 상하이 시장은 2017년 7월 개발 구역에 녹지 면적을 늘리고 사람들의 생활공간을 늘리기 위해 쇼핑센터, 주차장, 수도·가스 용관 설치, 저

수, 방위 구조물 등 기반시설을 모두 지하화해 지하 면적이 세계 최대 1,400㎢에 달하는 혁신 지하도시를 건설할 것이라고 발표했다.

이와 같이 시진핑 정부는 징진지 협동발전전략, 창장강 개혁개방 정책과 함께, 일대일로 전략과 광둥성·홍콩·마카오를 연결하는 웨강아오(粵港澳) 대만구 발전계획을 4대 지역개발 전략으로 추진하고 있다. 어느 나라나 경제 발전 전략과 계획이 있고, 각종 경제 현상에 대처하기 위한 대책이 있게 마련이다. 다만, 중국이 갖고 있는 장점은 중국 지도자의 강력한 리더십, 체제의 일관성, 풍부한 자금력과 인재풀을 활용해 이러한 전략이나 계획을 효율적으로 시행하고 있다는 것이다.

국가가 하나가 되어 목표를 설정하고, 이를 실현하기 위한 행동 계획을 마련하고, 정부가 예산을 배정해 구체적인 인센티브를 갖춘 지원을 제공해주면서 하부에서 무한한 경쟁을 유도하는 국가경제 시스템은 이웃 중국과의 경쟁이 불가피한 한국에 큰 도전과 위협이다.

자유무역시범구 전략

지구상 세계 최대의 경제 대국이었던 중국이 서구에 비해 결정적으로 뒤처지기 시작한 것은 19세기 초부터였다. 영국에서 증기기관의 발명으로 비롯된 제1차 산업혁명이 출현하면서 청나라는 자신도 모르는 사이에 서서히 뒤처지기 시작했다. 영국을 비롯한 서구 국가들은 대항해시대를 거쳐 대량생산한 공산품을 중국의 차·도자기, 인도의 향신료 등과 바꾸기 위해 교역을 요구했으나, 청나라는 거절하고 문을 닫았다. 문을 닫으면 닫을수록, 청나라의 발전은 뒤처졌고 서구의 개방 요구는 거세졌다. 그 결과가 어떻게 되었는지는 암울했던 동북아시아의 근현대사가 잘 말해주고 있다.

청나라는 18세기 초부터 서구의 개방 요구를 거절해오다가 각 지방 해관(海關)에서 암암리에 밀무역이 생겨나자, 불가피하게 1757년 해관 질서를 바로잡고 물품과 함께 들어오는 서구 문화를 통제하기 위해 광둥성 광저우의 황푸항만을 개방하고, 전국의 항만을 봉쇄했다. 이를 '일구통상(一口通商)'이라고 하는데, 이로써 광저우는 1840년 아편전쟁 후 추가적인 강제 개방 조치 이전까지 중국 내 유일한 대외 개방 항구로 성장할 수 있었다. 이후 중국은 1949년 중국공산당의 '신중국'이 성립된 이후 계획경제의 틀 속에서 사실상 다시 대외적으로 문을 닫게 된다.

중국공산당은 문화대혁명(1966~1976)의 암울한 시기를 거친 후, 1978년 덩샤오핑의 등장으로 개혁개방정책을 도입하게 되었다. 이때 중국은 우선 수도 베이징에서 멀리 떨어진 남부 광둥성의 3개 해변 촌락(선전, 주하이, 산터우[汕頭])과 푸젠성의 샤먼(廈門)을 경제특구로 선포하고 대외 개방을 허용했다. 선전에 이웃하는 홍콩, 주하이에 이웃하는 마카오, 산터우와 샤먼에 이웃하는 타이완의 선진 경제력을 활용해 중국 경제 발전의 원동력으로 활용한다는 전략이었다.

이는 과거 광저우에서 일구통상과 같은 소극적인 개방이 아니라, 적극적인 개방을 위한 첫 걸음이었다. 우리는 이후 중국이 어떻게 변해왔는지 잘 알고 있다. 한마디로 그 결과는 대성공이었다.

중국은 뉴노멀 시대를 맞이해 또다시 경제특구(자유무역시험구: Pilot Free Trade Zone) 발전 전략을 내세우고 있다. 사회주의 시장경제의 국가 거버넌스가 다시 순기능으로 작동하고 있는 것이다. 국가가 나서서 개방 지역을 수용하고, 전기·수도·도로·학교 등 인프라를 건설하고, 투자자에게 세제와 금융 등의 인센티브를 제공한다.

1970년대 설치된 경제특구와의 차이는 외국자본의 투자 금지와 억제 항목을 과거의 소극적인 의미의 '포지티브 리스트' 방식에서 상호 개방하지 않기로 합의한 분야를 제외하고 모두 자유화하는 적극적인 의미의 '네거티브 리스트' 방식으로 대폭 확대한 데 있다. 중국 정부는 2013년 9월 상하이를 시작으로, 2015년 4월 톈진, 푸젠성(푸저우[福州], 핑탄[平潭], 샤먼), 광둥성(난사[南沙], 첸하이[前海], 헝친[横琴]) 등에 총 510㎢ 규모의 자유무역시험구를 건설했다.

중국 정부는 기존의 자유무역시험구의 경험을 종합해 점차적으로 적용 지역을 내륙으로 확대한다는 계획이다. 또한 서비스업 개방에 초점을 둔다는 원칙하에 2017년 4월 랴오닝성, 저장성, 허난성, 후베이성, 쓰촨성, 산시성(陝西省), 충칭시 등 7개 지역으로 확대해 총 11개(1+3+7) 자유무역시범구를 운영하고, 2020년에 종합적으로 실적을 평가한다는 계획이다. 2017년 7월에는 총 11개 자유무역시범구에 동일한 네거티브 리스트를 시행했으며, 외자 개방의 특별관리 조치 분야는 95개로 축소했다.

중국 정부의 행정 처리 모습을 보면 서두르지 않고, 계획적이고 단계적으로 일을 처리한다. 굽이굽이 흐르는 물줄기와 같이 느리지만 훗날 거대한 강물로, 호수로, 바다로 변한다. 단순히 사회주의 체제의 획일성이라고 매도하기보다는 한국도 배워야 할 중국적 거버넌스의 특징이다.

오늘날의 중국 경제 발전을 이룩한 거버넌스에 한계가 있다는 것도 사실이다. 중국 경제가 지속적으로 발전하고 중국이 세계의 리더가 되기 위한 거버넌스를 확립하기 위해서는, 아직 가야 할 길이 멀다. 국민 개개인으로 구성된 조직과 사회가 의견을 제시하고, 국가와 시장이 이를 수용하거나 타협할 수 있어야 하며, 나아가 국제사회에서 중국과 세계가 자유롭게 의견을 교환하며 상호 존중하는 거버넌스로 발전해나가야만 할 것이다.

3 한국보다 젊은 중국

장유유서와 세대교체

중국은 역사가 오래된 나라다. 그러나 지금의 중국은 누구보다도 젊다. 젊음의 활력이 넘친다. 1949년 공산당 집권 이후 많이 사라지기는 했지만, 중국에는 한국과 마찬가지로 유교의 장유유서 전통이 남아 있다. 나이에 따라 눈에 보이지 않는 서열이 존재한다는 말이다. 지금 중국에서는 30~40대가 민영기업뿐 아니라 관직에서도 약진하고 있다. 그러나 이는 장유유서의 전통을 거역하는 현상이 아니라, 중국의 문화대혁명에서 비롯된 세대 단절로 생긴 불가피한 세대교체로 보는 것이 맞다. 1978년을 기준으로 개혁개방 이후의 세대가 활발히 활동하는 것이다.

현재 중국에서 활약하고 있는 경제 분야의 리더들은 개혁개방 이후 중국에서 또는 해외 유학을 통해 고등 교육을 받거나 성장해온 사람들이다. 대부분 1970년 이후 출생한 사람들로 40대 후반의 비교적 젊은 세대가 주축을 이룬다. 그보다 윗세대들은 과거 마오쩌둥 문화대혁명 기간 중에 학교가 폐쇄되고 지방으로 하방(下放,)되어 노동이나 봉사를 강요당해 제대로 교육을 받을 수 없었기 때문이다. 시 주석도 약 7년간 하방의 어려움을 겪었으나, 때마침 1976년 마오쩌둥 사망으로 인한 시대 변화로 칭화대학에서 교육을 받을 수 있었다.

지금의 중국 젊은이들은 민간 분야에서 기업의 리더로서의 역할뿐 아니라 중국 경제를 이끌어가는 주체로서 그 역할이 두드러진다. 중국 사회에서는 젊은이들이 대중문화를 이끌고, 소비를 주도하며, 인터넷을 활용한 모바일 경제 환경을 만들어가고 있다. 제4차 산업혁명의 역군으로서 그 역할을 톡톡히 하고 있다.

한·중 기업인 비교

투자의 귀재로 알려진 글로벌 투자자 짐 로저스(Jim Rogers)는 2016년 10월 국내 한 언론과의 인터뷰에서 이렇게 말했다. "한국 청년들의 공무원, 대기업 시험 열풍은 매우 부끄러운 일이다. 활력을 잃고 몰락하는 사회의 전형을 보는 것 같다. 과거 일본이 그랬다. 한국 청년들이 사랑하는 일을 찾지 않고 안정적인 직업만을 추구할 경우, 한국 경제는 5년 안에 활력을 잃고 몰락의 길을 걸을 것"이라고 경고한 것이다.

최근 한중일 3국의 인구 고령화 현상이 심각하다. 일본은 이미 1990년대부터 그랬고, 한국은 2000년대 들어서부터 그 속도가 빨라지고 있다. 중국도 한편으로 수명이 길어지고, 한편으로 출산율 저하로 조만간 고령화 사회로 진입할 조짐을 보인다. 그래서 중국은 지난 약 40년간 유지해왔던 '한 가정 한 자녀 갖기 정책(One-Child

Policy)'을 2016년부터 폐기하고 '두 자녀 정책'으로 바꾸어 출산을 독려하기 시작했다. 한중일 3국의 기업 경영 지도자들의 나이를 보면, 일본에는 80대 회장들이 아직 수두룩하다. 한국 대기업의 노령화도 마찬가지다.

한중일 3국의 경제 발전 역사를 보면, 전성기에는 항상 젊은이들이 대거 등장했다. 1945년 패전 후 일본의 경제 발전이 빠르던 시절 마쓰시다전기의 마쓰시다 고노스케(松下幸之助), 소니의 모리타 아키오(盛田昭夫), 도요타자동차의 도요타 기이치로(豊田喜一郎) 등이 활약했다. 한국도 1960~1970년대는 정주영, 이병철, 김우중 등 젊음과 활기가 넘치는 도전적인 경제 지도자가 많이 등장했다. 중국은 지금 그렇다. 중국 민영기업에는 젊은 CEO들이 속속 출현하며 세계 거대 기업을 만들고 있다.

중국의 BAT 3개사 즉, 알리바바의 마윈(馬雲), 텐센트의 마화텅(馬化騰), 바이두의 리옌훙(李彦宏) 등은 모두 40대 또는 50대 초반의 창업가이자 전문 경영인이다. 최근 크게 성장하고 있는 공유 자전거 회사인 오포(ofo)의 CEO 다이웨이(戴威)는 1991년생으로 20대 후반에 불과하다. 과거 미국 마이크로소프트의 빌 게이츠(Bill Gates)나 페이스북의 마크 저커버그(Mark Zuckerberg) 등과 같이 이들 중국 젊은이들의 성공 스토리가 중국 또래들에게 감동을 주고 있다.

필자도 젊은 시절에는 정주영, 이병철, 김우중의 성공 스토리를 들으면서 한때 기업가의 꿈을 꾸어 보기도 했지만, 지금의 한국 젊은이들은 창업주의 2세, 3세의 재벌 승계 스토리를 들으면서 무슨 영감을 얻을 수 있을지 걱정이다.

일본이 1990년대 경제 활력이 떨어지고, 한국이 2010년대 들어 일본과 비슷해지는 것은 우연이 아니다. 중국도 사회 전체적으로는 고령화 현상이 심화되고 있지만 기업 활동에 있어서는 자수성가한 젊은 CEO가 많고, 회사 임원들의 나이도 30~40대가 주류를 이루고 있으며, 이곳저곳에서 창업을 준비하는 젊은이들로 북적거린다. 그만큼 활력이 넘친다는 말이다.

최근 경제 용어 중에 글로벌 중소기업(micro-multinational)이란 말이 있다. 중국의 젊은이들은 창업할 때 많은 돈을 투자하지 않아도 된다. 이미 제조 설비, 유통 채널, 물류 시스템 등이 자국 내에 잘 구축되어 있기 때문이다. 특히 모바일 인터넷 인프라는 전 세계를 대상으로 창업하는 사람들에게 유리하다. 그래서 중국의 젊은 창업가들은 과거 창업가들과는 달리 중국 내수 시장을 목표로 창업을 하기보다는 초기부터 세계 시장을 목표로 하는 글로벌 중소기업을 꿈꾼다. 중국 내 잘 구축된 다양한 인프라뿐 아니라 해외에서의 유학 경험도 해외 진출에 대한 두려움을 갖지 않게 하는 데 큰 도움을 주고 있다. 이와 같은 이유로 중국의 많은 대학생들은 졸업 후 안정적인 공무원이 되기보다 창업 전선에 뛰어들고 있는 것이다.

중국 정부 또한 '대중창업, 만중혁신'의 기치하에 적극적으로 창업 지원 정책을 펼치고 있고, 좋은 기업을 발굴하여 지원하는 벤처캐피탈도 넘쳐난다. 2016년 중국 내 최상위 부자 2,056명 중 1980년 이후 출생한 사람이 68명으로 2015년의 56명보다 12명이 늘었고, 68명 중 21명은 주로 IT 산업에서 자수성가한 젊은이들이다. 젊은 활력이 사회 전체를 이끌어나갈 때 미래가 있다.

도전과 혁신이 필요한 분야에서는 더욱 그렇다. 중국 제1의 통신장비 및 스마트폰 제조사인 화웨이(華爲)는 전 직원의 평균 나이가 29세에 불과하다. 세계 최대 유전자 검사회사인 BGI(Beijing Genomics Institute)의 전 직원 평균 나이도 30세를 넘지 않는다. 국유기업으로 중국 최대 항공사인 중국남방항공(China Southern Airlines) 역시 전 직원 평균 나이가 34세다. 인구 1,700만 명에 달하는 선전 전체 인구의 평균 나이는 33세에 불과하다. 젊은이들의 창업과 혁신 정신이 중국의 변화를 가져오고, 다른 나라와의 경쟁에서도 이길 수 있는 힘의 원천이 되고 있다.

젊은 여성들의 사회 참여도 두드러진다. 중국 내 기업의 여성 관리자(과장급 이상) 비율이 44%에 이르고, 여성 관리자는 남성 관리자보다 평균적으로 젊어, 35세 이하 비율이 40%(남성은 20%)를 초과한다. 이들은 주로 럭셔리 제품, 홍보 대행, 의료 등 서비스 업종에 종사하며, 35세 이하 여성 관리자들은 기업 내 행정, 인사, 홍보, 품질 관리 등의 업무를 담당한다. 과거 남성에 편중된 관리자 비중, 즉 유리천장(glass ceiling)이 무너짐에 따라 점차 중국 기업 내 문화 역시 다양성과 젊음을 중시하는 방향으로 변화하고 있다.

한·중 청년 인식 비교

2016년 4월 중국의 「환추시보(環球時報)」와 한국의 「매일경제」가 공동으로 한중 양국의 미취업 20대 청년 1,000명을 대상으로 직업, 결혼, 가정관, 양국 문화 인식에 대한 설문조사를 실시했다. 어느 정도 예상했지만 흥미로운 것은 중국 청년들(48.9%)이 한국 청년들(16.6%)보다 사회적 신분상승이 가능하다는 자신감이 높은 것으로 나타났다. 또 취업 성공에 대한 자신감이 결혼, 가정, 성공의 가치관에도 영향을 주고 있는 것으로 나타났다. 한국 청년들은 이제 개천에서 용이 날 수 없다고 생각하는 것이다. 더욱이, 결혼에 대해서 중국 청년들은 '해야 한다'가 50.4%인 반면, 한국 청년들은 '해야 한다'가 14.4%이고 '할 필요 없다'가 46%를 차지하며 극명한 대비를 보여주었다.

또한, 취업 대상으로 중국은 대기업(38.5%), 한국은 공무원(22.4%)을 가장 선호하는 것으로 밝혀졌다. 이에 대해 중국의 진찬룽(金燦榮) 중국런민대학 국제관계학원 부원장은 중국에는 대형 국유기업과 잠재력이 있는 민영기업이 많은 반면 공무원 경쟁률이 매우 치열해 공무원이 그다지 매력적인 직업이 아니지만, 한국에는 삼성과 현대 등 일부 대기업을 제외하고는 선택 폭이 좁고, 경기 침체로 안정적인 공무원을 선호하는 경향이 있다고 분석했다.

젊은 층이 주도하는 소비 업그레이드

중국 경제가 수출 중심에서 내수 중심으로 전환하고 있다. 그 중심에도 젊은 층의 활력이 눈에 띈다. "좋은 디자인, 좋은 성능, 고가의 상품을 선호하는 것, 즉 기존의 단순 절약 모드에서 소비를 업그레이드하는 것이 오히려 장기적으로 비용을 절약하는 생활방식"이라는 소비 업그레이드(소비 승급[消費昇級]) 개념을 가진 1980~1990년대 출생한 젊은 층이 시대의 주역으로 등장하고 있는 것이다. 중국의 백화점이나 쇼핑몰에 가면 항상 젊은이들로 넘쳐난다. 장년층과 노인층은 매우 드물며 어쩌다가 손주의 손에 이끌려 식당가에 나온 몇몇 사람이 고작이다.

이러한 소비 업그레이드 개념은 부양가족이 없는 젊은 층 사이에서 하나의 트렌드로 정착되고 있다. 젊은 층은 SNS를 통해 소비 정보를 공유하고 간편한 지불 방식으로 업그레이드된 소비를 즐기고 있는 것이다. 이 같은 추세는 중국 경제의 활력을 이어가는 요소가 되고 있다. 또한, 젊은 층의 소비 양식 변화에 따라 중국 기업들의 마케팅 전략 역시 기존의 일반 대중을 대상으로 하는 마케팅과 병행해 소수 마니아 층을 위한 마케팅으로 다양화하고 있다. 이는 곧 제품 다양화와 기술 혁신에 긍정적 영향을 줄 것임이 확실하다.

제4차 산업혁명 시대와 퍼스트 무버

제4차 산업혁명의 퍼스트 무버가 되기 위해 중국 정부는 중국 제조 2025와 인터넷 플러스 정책을 통해 거대한 시대 변화를 준비하고 있다. 세계적으로 혁신과 창조로 새로운 제품과 서비스를 만들어 내는 중소기업에는 많은 젊은 인재와 자금이 몰려들고 있다. 중국은 이 같은 사실을 정확하게 파악하고 이를 정책적으로 반영하기 위해 노력하고 있는 것이다.

하지만 한국의 중소기업은 인력과 자금난에 허덕이고 있고 대기업은 미래 성장에 대한 불확실성으로 투자 의욕을 잃고 있다. 대기업의 재벌 2~3세대들이 후대 승계를 위한 지배구조에 신경을 쓰다 보니 눈에 잘 안 보이지만 우리 앞에 성큼 다가온 제4차 산업혁명 시대에 대한 대응이 늦을 수밖에 없다. 제4차 산업혁명에서 살아남기 위한 중국 정부의 지원과 젊은 기업인들의 혁신과 창업 정신이 부러운 이유다.

2017년 3월 애플의 CEO 팀 쿡(Tim Cook)이 9번째로 중국을 방문했을 때, 향후 쑤저우(蘇州)와 상하이에 연구개발센터(R&D Center)를 설립할 것이라고 발표했다. 이전에도 그는 2017년 내 베이징과 선전에 애플의 연구개발센터 설립을 발표하기도 했다. 그러면서 그는 "중국에는 유능한 대학 졸업생이 아주 많다. 그들이 졸업 후 애플의 연구개발센터에 참여해줄 것을 바라는 마음에서 중국의 주요 도시 네 곳에 연구개발센터를 설립하는 것이다. 연구개발센터가 큰 역할을 할 것으로 기대하고, 아울러 중국 정부의 적극적인 지지와 피드백을 기대한다"고 말했다. 일본 젊은이들 가운데 '오타쿠족'이 늘고 있고 한국 젊은이들이 'N포세대'나 '헬조선'을 외치는 상황에서, 이웃 중국의 젊은 활력이 한편으로는 부럽고, 한편으로는 위협으로 느껴진다.

4 넓은 시장, 빠른 기술 발전, 풍부한 자금

중국인과 돈

중국 한나라 무제 시절 역사가인 사마천(司馬遷)은 자신이 쓴 『사기(史記)』에서 인간과 돈의 관계에 대해 다음과 같이 말했다. "자신보다 10배 부자이면 헐뜯고, 자신보다 100배 부자이면 두려워하고, 자신보다 1,000배 부자이면 고용 당하고, 자신보다 10,000배 부자이면 노예가 된다."

지금부터 2,100년 전의 사람이지만, 인간과 돈의 관계에 대해 핵심을 꿰뚫고 있는 사마천의 관찰력이 놀랍다. 이는 특히 중국인들에게 아주 잘 적용되는 문구다. 중국인들은 악착같이 돈을 벌고 모으고 잘 쓴다. 한국에 온 관광객 중에서도 중국인들이 세계 어느 나라 여행객보다 가장 많이 소비하는 것으로 밝혀졌다.

어떻게 보면 중국인들만큼 돈의 생리를 잘 아는 사람들도 드물다. 중국말로 비즈니스(사업)는 '성이(生意)'라고 하는데, 이 뜻은 바로 '삶의 의미'를 말한다. 즉, 중국인들은 일찍이 사업, 장사, 돈 버는 일을 삶의 의미로 생각하고 있는 것이다.

이러한 중국인들이 지난 수십 년간 벌어들인 자금을 바탕으로 새로운 투자와 창업에 지원하고, 다른 유망 기업과 첨단 기술을 사들이기도 하며, 외국의 인재를 스카우트하고 있는 것이다.

중국인들은 근세 어려운 역사 속에서도 동남아시아나 미국 등 해외로 이주해 서로 힘을 합쳐 상권을 형성하고, 악착같이 부를 축적해왔다. 개혁개방 이후에는 해외에서 축적한 부를 다시 중국 본토에 투자해왔다.

중국 화교의 역사

중국인 화교는 전 세계적으로 약 3,500만 명이 곳곳에 산재해 살고 있다. 화교들에게는 타고난 비즈니스 감각, 근면성, 돈을 모으는 기질이 유전자에 각인되어 있다. 세계 곳곳에 차이나타운이 번창하듯 이들은 해외에서 중국인이라는 긍지와 상호 부조의 공동체 정신으로 뛰어난 응집력을 자랑한다. 1980년대 이후 때마침 중국의 개혁개방이 진전됨에 따라, 화교들은 축적된 부를 중국에 활발히 투자해 오늘날 중국의 발전에 기여하고 있다.

중국의 화교는 넓은 의미로 크게 두 분류가 있다. 하나는 화인(華人)이고, 하나는 화교(華僑)다. 귀화를 한 사람들은 화인인데, 전체의 90%를 넘는다. 귀화를 하지 않고 중국 국적을 유지하고 있는 사람들은 좁은 의미에서 화교라고 부른다.

중국에서 화교의 역사는 실크로드 시대로 거슬러 올라간다. 첫째, 당·송 시대 동남아시아 지역과의 무역이 발전함에 따라 자연스럽게 발생한 화교로 약 10만 명으로 추정된다. 둘째, 원·청 시대 더 광범위한 지역과의 무역과 교류로 중국인의 이주가 활발해졌는데, 이 시기에 이주한 중국인은 약 100만 명으로 추정된다. 셋째, 1840년 아편전쟁에서 1949년 신중국 성립의 시기이자 중국인들에게 역사상 가장 어려운 시기로 굶주림, 전쟁, 사회적 갈등을 피해 생존을 위해 다수가 해외로 이주했다. 이 시기에 생겨난 화교의 수는 약 1,200만 명에 달하는 것으로 추정된다. 넷째, 1949년 이후부터 1990년대까지의 시기로 동서양의 경제 발전의 차이, 미국·캐나다·호주 등의 포용적인 이민 정책 등으로 타이완·홍콩·마카오 등지의 많은 수의 중국인이 이민을 선택했다.

1990년대 이후 최근까지를 보면, 전 세계적으로 중국인 전체 화교와 화인의 수는 약 160개국에 약 3,500만 명으로 추정되며, 이 가운데 약 80% 이상이 아시아에 거주한다. 특히 인도네시아(600만 명), 말레이시아(509만 명), 태국(465만 명) 등 3국에 집중 거주하고 있다. 또한, 싱가포르는 전체 인구는 적으나 인구의 약 77%가 중국계 화교·화인들이다. 이 화교·화인들의 중국 내 출신 지역을 보면, 54%가 광둥성, 25%가 푸젠성으로 중국의 남부 해안 지역에 집중되어 있음을 알 수 있다.

광활한 시장을 통한 기술과 자본 획득

중국 경제 발전의 원동력 가운데 역시 가장 중요한 것은 광활한 시장을 무기로 외국자본과 기술을 유치하는 것이다. 시장을 무기로 쓰기 어려울 때는 그동안 벌어들인 풍부한 자금을 바탕으로 외국 기업이나 기술을 사들이거나 인재를 스카우트해 산업경쟁력을 갖춰 나가는 능력도 있다.

필자는 2017년 4월 광저우에서 고속철도로 3시간 거리에 있는 광둥성 제양(揭陽)과 산터우를 방문했다. 두 도시는 인접해 있으며 각각 700여 만 명, 500여 만 명의 인구를 가진 3선 도시다. 특히 산터우는 1978년 중국의 개혁개방정책 도입 시 처음으로 선전, 주하이, 샤먼과 함께 경제특구로 지정된 도시이기도 하다. 제양은 2012년 중앙정부의 지원과 국유기업들의 투자를 바탕으로 23㎢의 대규모 부지에 '중국-독일 중소기업합작구'를 설립해 독일을 비롯한 유럽 국가들의 첨단 기술을 습득하려고 전력을 다하고 있었다.

'중국-독일 중소기업합작구' 내에는 독일 기업이나 독일인 기술자들이 와서 살 수 있도록 독일의 한 도시를 옮겨놓은 것과 같이 독일식 주택, 공원, 식당 등을 두루 갖추고 있다. 그리고 2020년까지 300개 기업 유치를 목표로 하고 있다. 한편, 산터우는 지난 1980년대 선전과 샤먼 등 여타 경제특구와는 달리 실패했던 경험을 반성하면서 55㎢ 규모의 핵심 구역을 포함한 총 480㎢의 대규모 신도시 개발을 목표로 하는 '화교(華僑) 경제·문화협력실험구' 개발계획

(2015~2030)을 마련하고 인프라 건설을 추진 중이다. 산터우는 주변의 제양과 차오저우(潮州) 등과 함께 홍콩, 마카오, 동남아시아 등지에 이주해 있는 중국인 화교 1,000만 명의 고향이다. 이들의 귀소본능을 자극하면서 중국 정부가 추진하고 있는 '21세기 해상 실크로드'의 관문 역할을 맡겠다는 계획이다.

중국 벤처캐피탈의 성장

기업이 성공하기 위해서는 무엇보다도 창업 정신과 경쟁력 있는 기술이 필요하다. 거기에다가 자금이 합쳐질 때 높은 부가가치가 창출된다. 어떻게 보면, 좋은 기술과 창업 정신만 있어도 자금은 저절로 따라온다. 중국에는 정부의 창업 지원 정책을 기반으로 젊은이들의 창업 정신이 하늘을 찌르고, 큰 시장을 배경으로 각종 기술이 쉽게 모여들며, 이를 기반으로 돈을 벌기 위해 투자하는 국내외 벤처캐피탈이 많다.

중국의 벤처캐피탈은 개혁개방정책으로 경제성장이 시작된 1980년대 초에 등장했다. 그러나 1999년 중앙정부의 '벤처캐피탈 시스템에 관한 의견'이 발표되고, 2001년 말 중국의 WTO 가입 후 외자기업이 중국에 진출하면서부터 벤처캐피탈 수가 급격히 증가하기 시작했다. 통계를 보면, 2015년 중국의 벤처캐피탈에 투자된 자금이 2,310억 달러에 이르고 벤처캐피탈이 운용하는 펀드가 780여 개이며, 이들이 지원한 스타트업이 무려 총 365만 개에 달한다고 한다.

특히, 시진핑 정부가 '대중창업, 만중혁신'을 강조하고 있는 것과 때를 같이하여 벤처캐피탈의 급속한 확대와 그 역할이 더욱 중요해지고 있다.

중국 내 활약하는 10대 벤처캐피탈을 살펴보면, 그중 4개는 외국에서 들어온 글로벌 벤처캐피탈(미국 3개, 일본 1개)이지만, 나머지 6개는 중국의 토종 자본이다. 2000년대 들어 중국에서 영업을 시작해 크게 성장한 온라인 유통업체인 알리바바, 징둥(JD.com) 등도 한 때는 자금을 구하러 이리저리 뛰어다녔고, 그 결과 벤처캐피탈의 투자가 오늘날 이들 기업을 성장·발전시키는 원동력이 되었다. 벤처캐피탈은 주로 IT, 통신, 첨단의료, 신재료 산업 등의 분야에 투자하는 경우가 많으며, 그 밖에도 문화·관광 서비스 산업 등 다양한 방면에 투자하고 있다.

예를 들어 중국 내 3위의 벤처캐피탈인 일본계 소프트뱅크차이나벤처캐피탈(軟銀中國資本, SBCVC, 일본 손정의의 소프트뱅크 계열사)은 2000년 알리바바, 2003년 알리바바가 설립한 인터넷몰 타오바오(淘寶)에 총 2,300만 달러를 투자해 1,000배 이상의 수익으로 세계 벤처캐피탈 역사상 가장 높은 수익을 올렸다. 이후 다양한 벤처캐피탈은 중국 시장에서 '새로운 알리바바'를 찾기 위해 모두 눈을 부릅뜨고 있다.

중국 토종 벤처캐피탈 중에 가장 큰 규모인 선전캐피탈그룹(深圳新投, SCGC)은 1999년 설립된 국유 벤처캐피탈 회사로, 설립 이래 2016

년 말까지 첨단 제조업·서비스업, IT, 기술 사업 등 683개 프로젝트에 243억 위안(35억 2,000만 달러, 1개 프로젝트당 평균 약 500만 달러)을 투자했다. 2016년 1월부터 11월까지 중국 전체 벤처캐피탈의 투자 규모를 보면, 265개 프로젝트에 317억 위안(46억 달러)이 투자되었다.

쩌우추취 전략: 외국 기업 인수합병

중국에는 창업 지원 자금만 풍부한 것이 아니다. 잠재력이 있는 국유기업에 대해서는 중앙과 지방정부가 자금과 토지 등을 지원하거나 보이지 않는 각종 혜택을 주어 가격 경쟁력을 확보하도록 돕는다. 또 첨단 기술력 확보를 위해 외국 기업을 인수합병(M&A)하는 데에도 많은 투자 지원을 하고 있다. 중국은 지난 장쩌민 주석 시절부터 후진타오 주석, 시진핑 주석으로 이어지는 해외 진출 전략으로 "밖으로 걸어나간다"는 의미의 쩌우추취(走出去, Go Global) 정책을 펴고 있다. 1978년 개혁개방과 함께 기존의 인진라이(引進來, 외자유치) 정책을 적극 추진해 외국자본이 넘쳐나자, 1990년대 말부터 축적된 외국자본과 기술을 토대로 중국 기업의 해외 투자를 장려한다는 정책이다.

다시 말해, 쩌우추취 전략은 중국 정부가 외국인 투자(FDI: Foreign Direct Investment)와 무역흑자 등으로 외환 보유고가 급증하자 위안화 절상 부담과 국내 인플레이션 압력을 해소하고, 해외 원자재와 에너지 자원을 확보하며, 선진기술을 획득함으로써 중국 기업을 글로벌 기업으로 육성해 새로운 시장을 개척한다는 다목적적 전략이었던 것이다.

정책 초기에는 그린필드형 투자가 중심이었지만, 최근 들어서는 선진기술, 브랜드·비즈니스 노하우를 획득해 빠르게 국제경쟁력을 향상시킬 수 있는 M&A형 투자가 급증하고 있다. 또한 국유기업 중심에서 화웨이 등 민영기업들의 해외 진출도 크게 증가하고 있다. 진출 분야도 초기에는 에너지 자원 분야에 대한 투자가 중심이었지만, 기술 취득형 성격의 비즈니스 서비스업과 제조업에 대한 투자가 증가하고 금융업·문화예술·서비스업 등에 이르기까지 다양화되고 있다. 대상 국가 역시 기존의 에너지 자원형 개발도상국과 브랜드 및 기술 선진국에서 중국의 일대일로 정책에 따른 관련 국가로 확장되고 있다.

중국 기업들은 2016년 한 해 동안 729건의 해외 인수합병을 추진했는데, 이는 전년 대비 73%나 증가한 것이다. 이 가운데 민영기업에 의한 기업 인수합병은 71.1%에 달한다. 금액으로는 총 3,319억 달러에 달해 전년 대비 94%나 증액되었다. 이 가운데 민영기업에 의한 인수합병은 1,873억 달러로 전체의 56%에 해당한다. 주로 기술, 통신, 제조업, 의료 기기 등이 인수합병 대상 분야가 되고 있다. 이로써 중국의 해외직접투자(ODI: Outbound Direct Investment) 규모는 미국에 이어 세계 2위를 기록하고 있으며, 중국을 순자본 수출국으로 전환시켰다. 특히, 2016년 미국의 대(對)중국 투자가 130억 달러 수준이었는데, 중국의 대(對)미국 투자는 2015년 160억 달러에서 2016년 460억 달러 수준으로 급증했다.

최근 들어 중국의 해외 투자에 대해 관련국들이 따가운 눈총을 보내고 있다. 선진국에 진출하는 중국 투자의 대부분이 첨단기술, 우수기업, 핵심 인프라를 겨냥한 정부 주도의 전략적 투자라는 점에서 기술 유출 우려를 표명하고 있는 것이다. 이와 관련, 선진국들은 최근까지 중국의 투자에 대해 개방적이었으나, 2017년 이후 국내의 투자 관련 제도를 개선하거나 중국 측에 대해 상호주의적 대응을 요구하고 있다.

예를 들면, 중국의 기업 인수합병은 대체적으로 기술 흡수 목적으로 시행되고 있어 그 파트너가 주로 서구 국가들의 기업이 대상이며, 그 가운데서도 독일의 로봇·반도체 등 첨단 산업 기업이 주요 대상이었다. 이에 독일 정부는 2016년 10월 독일 반도체업체 엑시트론(Aixtron) 인수합병 건에 대해 미국 정부가 제기한 군사안보상 권고를 수용해 인수합병을 부결시키는 등 안보적 고려 등의 이유로 인수 허가를 취소하거나 인수 안건의 재심사 결정을 내리기도 했다. 이에 따라, 중국 정부 역시 ODI 관련 새로운 가이드라인 제정을 검토하고 있다.

유럽 국가들의 견제와 미국의 트럼프 대통령 등장 이후 서구 국가들의 기업 인수합병이 어려워지자, 중국 기업들은 미국 등 글로벌 시장에 우회로 진출하기 위해 한국 기업을 인수합병하는 사례가 등장하고 있다. 중국의 더블스타(Double Star)가 2017년 초 금호타이어 인수 우선 협상자로 선정되었고, 2017년 2월 콘텐츠전송네트워크(CDN) 서비스업체인 왕쑤테크놀로지는 동종 분야 1위 업체인 씨디네트웍스의 최대 투자자 지위를 차지하는 등 중국 업체들이 철저한 계산하에 풍부한 자금력으로 한국의 기술과 시장도 넘보고 있다.

외국 인재 스카우트

중국의 자금력은 외국 기업 인수합병을 통한 첨단 기술 취득에만 국한하지 않고, 고급 인력을 대거 스카우트하는 데도 큰 역할을 하고 있다. 첨단 고급 기술 분야일수록, 중국인을 채용하여 교육하고 훈련시키는 것보다 외국 인재를 스카우트하는 것이 시간적으로나 경제적으로 이득이 되기 때문이다. 얼마 전까지만 해도 주로 퇴직 기술자를 중심으로 스카우트했으나 이제는 반도체, 유기발광다이오드(OLED) 기술 습득을 위해 중국 화웨이나 차이나스타옵토일렉트로닉스(CSOT) 등은 삼성전자와 LG디스플레이의 현역 기술자들을 빼어가기 시작했다. 한국 대기업 연봉의 3배를 제시한다고 하니 더는 애국심에만 호소하기도 어렵다. 2017년 4월에는 한국에서 통신 전문가로서 정보통신부 장관과 통신 기업 사장까지 지낸 인사가 화웨이로 스카우트되어 간 일이 화제가 되기도 했다.

산업 분야뿐 아니라, 항공기 비행사에 이르기까지 각종 전문 기술 인력에 대한 스카우트는 어제오늘의 이야기가 아니다. 중국도 개혁개방 초기에는 고급 인력이 미국 등 선진국으로 많이 이동했으나, 이제는 우수한 해외 인재를 유치하기 위해 2011년부터 정부의 천인(千人) 계획 시행과 민간 분야의 넘치는 경제적 여력으로 미국이나 유럽에 있는 중국계 인재들에게 엄청난 연봉을 제시하고 애국심에 호소하며 이들의 중국 유턴을 유도하고 있다. 2016년에 해외에서 유학을 마쳤거나 해외 기업에서 근무를 하다가 귀국한 중국 유학생 비율이 82.23%로 역대 최고를 기록했다. 중국의 자금력이 블랙홀이나 거대한 자석과 같이 세계 도처의 첨단 기술과 고급 인력을 빨아들이고 있다.

5 정보통신 분야의 눈부신 성장

인터넷 플러스

중국 IT 산업의 성장이 눈부시다. 뉴노멀 시대에 IT 산업이 중국의 경제성장을 이끌고 있다 해도 과언이 아니다. 전 세계 인터넷 기업의 시가총액 10위 안에 알리바바, 텐센트 등 중국 기업이 4개나 들어 있으며, 최근 가전제품을 넘어 스마트폰 시장에서 중국 업체들의 약진이 두드러진다. 이러한 발전은 중국 정부가 전통 제조업 중심에서 IT 등 첨단 산업 중심으로 전략을 전환하면서 가능해진 것이다. 중국에서 약진하고 있는 인터넷 기업들이 중국인들의 생활 속에서 어떻게 스며들어 활약하고 있는지 살펴보자.

우선 중국에서 신문과 잡지를 보다 보면 어디에서나 '후롄왕(互聯網: 인터넷)', '자(加: 플러스)'라는 표현을 자주 접하게 된다. 영어로 말하면, '인터넷 플러스'다. 제4차 산업혁명의 시대에는 IT 기술과 이들 관련 기술의 융·복합, 이를 실용화할 수 있는 플랫폼을 가진 나라가 승리한다. 중국의 인터넷 플러스 정책이 바로 이를 목적으로 하고 있다. 인터넷 플러스란 우리가 늘 사용하고 있는 인터넷을 전통적인 제품·서비스와 결합해 소비자에게 편의를 제공하는 것을 총체적으로 표현한 것이다.

이제 인터넷 플러스는 중국인의 생활 속 깊숙이 들어와 그들의 생활 방식을 바꾸고 있다. 스마트폰이 보편화되면서 우버 택시, 에어비앤비(Air B&B) 등과 같은 인터넷 서비스가 생활화된 것이다. 2016년 한 해 동안 인터넷 사용자 7억 3,100만 명 가운데 모바일 인터넷 사용자가 95%를 차지하고, 그 수가 총 인구의 절반인 약 7억 명에 달하고 있어 중국인들 사이에서도 인터넷 플러스는 이미 보편화되었다.

각종 지불 결제 시스템, 차량·자전거·숙박 시설을 공유하는 서비스, 온라인에서 오프라인으로 이어지는(O2O, Online to Offline) 음식 배달과 상품 배송 서비스 등이 두루 활용되고 있다. O2O는 이용자가 스마트폰으로 상품이나 서비스를 주문하면 오프라인으로 이를 제공하는 서비스를 말하는데, 기존 오프라인의 비효율을 어떻게 모바일 인터넷 기술을 통해 더욱 효율화하느냐에 그 성패가 달려 있다.

인터넷 플러스를 실물경제에 도입해 중국 경제에 새로운 혁명을 불러온 대표적인 인터넷 기업으로는 바이두, 알리바바, 텐센트(BAT) 3사가 있다. 바이두는 미국의 구글을 모델로 중국판 검색 기능을 정착시켰다. 알리바바는 미국의 아마존과 이베이(e-Bay)를 모델로 온라인 쇼핑몰인 타오바오를 만들었고, 텐센트는 페이스북을 모방해서 웨이신(微信, 위챗)을 만들었다. 이들 3개 인터넷 기업을 매개로 중국 내 새로운 소비혁명이 일어나고 있는 것이다. 또한 중국 정부는 구글, 페이스북, 유튜브 등과 같은 해외 인터넷 서비스를 차단하여 이들을 측면 지원하고 있어, 인터넷 서비스 기업들의 성장에 유리한 환경을 만들어주고 있다.

모바일 인터넷 환경

중국에서는 가정주부, 가사보조원, 노점 상인을 비롯해 거의 대부분이 모바일 기기로 인터넷을 사용하고 있다. 사용자 수가 약 7억 명에 이른다고 하니 실로 엄청나다.

인터넷 서비스 산업은 과거의 제조업과 달리 중국에 공장을 세우거나 수천 명의 직원을 고용할 필요가 없다. 물론 접근이 쉬운 만큼 경쟁이 치열하다는 점도 부정할 수는 없다. 그러나 가까이 있고, 비슷한 문화를 가졌으며, IT 강국인 한국에는 새롭게 열린 시장이다. 특히, 한국 기업이 외국 땅에서 취약할 수밖에 없는 유통 문제를 해결할 수 있다는 점에서 매력적이다. 중국의 인터넷 플랫폼을 잘 이용하면 제품 등록, 주문, 결제, 배송의 전 과정을 용이하게 활용할 수 있기 때문이다.

지난 20세기 이후 지금까지의 배타성과 분할성(divisibility)으로 특징지울 수 있는 경제 환경에서는 기존 강자인 인텔(Intel), IBM, 소니(Sony) 등이 우세를 보일 수밖에 없었다. 하지만 정보통신을 기반으로 한 공유 경제로의 전환이 이뤄지고 있는 21세기 새로운 경제 환경에서는 배타성과 분할성이 더이상 경쟁 우위가 될 수 없다. 공유 경제의 시대에는 모든 제품과 서비스가 태양이나 공기와 같은 배타성을 갖기 어렵기 때문이다. 특히 모바일 환경에서는 누구나 추가 비용 없이 한계 수익을 증가시킬 있는 기회를 갖기 때문이다.

물론 중국의 모바일 인터넷 시장에서는 돈만 된다면 짧은 시간에 다수의 업체가 시장에 등장해 과당 경쟁을 일삼는 단점이 있기도 하다. 치열하게 싸워 이긴다면 문제 없다. 그러나 대부분의 중소 기업들이 연쇄 도산을 하기도 하고, 그 과정에서 대규모 기업은 오히려 공격적으로 인수합병을 통해 몸집을 키워 독과점 지위를 확보해나가기도 한다. 그럼에도 중국의 모바일 인터넷 시장은 여전히 기회의 땅이다.

현금 없는 사회: 모바일 결제 서비스

중국인들은 은행에 자주 가지 않는다. 도로변에 있는 은행에 가면 한산하다. 중국인들은 외출할 때 지갑도 잘 안 갖고 다닌다. 지갑이 있어도 여러 장의 카드를 갖고 다니지 않는다. 많은 사람이 스마트폰의 간편 결제 서비스를 통해 거의 모든 일상생활의 거래를 하기 때문이다. 2016년에 스마트폰을 이용해 결제한 사람이 4억 6,900만 명으로 전년 대비 31.2% 증가한 것을 보면, 향후 5~10년 이내에 스마트폰 결제가 주요 수단으로 자리 잡을 것이다.

중국에서 모바일 결제 시장의 급성장은 신용카드 시장의 발전 지연과도 관계가 있다. 이 과정에서 저가 스마트폰의 급속한 확산과 O2O 시장의 급성장, 무엇보다도 13억 7,000만 명 인구에서 나오는 규모의 경제 등으로 모바일 결제 시장이 급성장하게 된 것으로 분석된다. 한국은 현금에서 직불카드, 직불카드에서 신용카드, 신용카드에서 모바일 결제로 단계적으로 발전해간 반면, 중국은 신용카드 단계를 생략하고 직불카드에서 바로 모바일 결제 서비스로 건너뛴 것이다.

중국 공신부(工信部) 통계 자료에 따르면, 중국 모바일 결제 시장 규모는 2015년 52조 3,000억 위안, 2016년 107조 3,000억 위안, 2017년(추계)154조 9,000억 위안 규모로 해마다 급성장하고 있다. 모바일 결제 서비스 분야에서 중국은 한국보다 앞서가고 있는 것이다. 한국은 중국에 비해 시장이 너무 작아 이익 창출이 어렵다는 측면도 있지만, 무엇보다도 기존 은행권의 저항이 핀테크(Finance와 Technology의 합성어로, 금융과 IT의 융합을 통한 금융 서비스 및 산업의 변화를 통칭) 발전을 지연시키고 있다.

중국 모바일 결제 서비스 앱으로는 알리바바가 만든 즈푸바오(支付寶)가 있다. 알리바바가 만들었다고 해서 일명 알리페이(Alipay)라고도 불린다. 텐센트는 SNS 웨이신에서 지불할 수 있는 서비스로 웨이신즈푸(微信支付, 위챗페이)를 만들었다. 2016년 말 현재 알리페이가 54%의 시장점유율로 1위고, 위챗페이가 32%로 2위를 점유하고 있다. 알리페이를 통한 결제는 해외에서도 활발히 이루어지고 있는데, 2016년부터 유럽 시장에 진출했다. 위챗페이는 2016년 후반부터 타이완, 한국 등 아시아 시장을 중점적으로 개척하고 있다.

이로써 중국의 모바일 결제 서비스는 한국을 포함해 해외 이용자가 이미 2억 명에 달한다. 한국에도 중국인 관광객 유치를 목적으로 백화점과 면세점 등 많은 점포(3만 4,000 개)가 알리페이 및 위챗페이와 제휴를 맺고 있다. 특히, 알리페이는 2016년 10월 향후 10년간 고객을 전 세계적으로 20억 명(중국:외국=4:6)까지 늘리겠다는 목표를 발표한 바 있다.

2017년 7월 중국 항저우에서는 종업원, 보안 경비, 캐시어가 없는 무인(無人) 슈퍼마켓이 등장했다. 알리바바의 시험 작품인 타오카페(Tao Cafe)로 물건을 고른 고객이 나갈 때 자동으로 스마트폰에 깔린 알리페이에서 결제가 이뤄진다.

알리바바는 10월에 무인 슈퍼마켓 방식을 적용한 최초의 '스마트 주유소'를 열었다. 셀프 감지 센서, 기계 학습, 위치 추적, 이미지 및 음성 인식 등 사물인터넷(IoT) 기술을 기반으로 한 주유소다. 제4차 산업혁명의 결과가 중국에서 목격되고 있는 것이다.

택시 공유 플랫폼

중국인들은 길거리에서 손을 흔들어 지나가는 택시를 잡지 않는다. 택시 예약 앱인 디디다처(滴滴打車)를 이용해 편안하게 택시를 탄다. 택시의 종류도 영업용에서부터 고급 승용차까지 다양하다. 2012년 알리바바 자회사의 영업사원을 했던 30세의 청웨이(程維)는 회사를 나와 중국판 우버(Uber)인 디디다처를 만들었다. 우버가 태어난

지 3년 만이었다. 중국 택시 기사들이 스마트폰을 별로 쓰지 않던 시절이었지만, 청웨이는 택시 기사들에게 중국산 저가 스마트폰을 무상으로 나누어주면서 택시 공유 사업 모델을 구축하고, 벤처캐피탈과 텐센트로부터 자금을 유치하기도 했다.

텐센트가 나서면, 알리바바도 나선다. 알리바바의 투자로 콰이디다처(快的打車)가 곧바로 출시되었고, 소비자 선택의 폭이 넓어졌다. 이렇다 보니 두 회사 간 경쟁이 심해졌다. 2014년에는 자신들의 지불 결제 앱(위챗페이 vs. 알리페이)으로 지불할 경우 승객과 택시 기사에게 보조금을 주는 판촉 활동을 벌였다. 이 같은 두 회사의 보조금 전쟁으로 시장에서의 싸움이 치열해졌다.

전쟁은 디디다처의 승리로 마무리됐다. 디디다처가 2015년 2월 각사의 브랜드를 유지하면서 콰이디다처를 합병하기에 이르게 된 것이다. 당시 합병사의 시가총액은 무려 60억 달러에 달했다고 한다. 이후 일본 소프트뱅크로부터 55억 달러를 투자받았고, 2017년 10월 현재 회사 가치는 무려 500억 달러에 이르렀다.

중국인들은 돈 냄새가 나는 곳에서 누구보다도 발 빠르게 움직인다. 택시 예약 앱을 넘어 이제는 자동차 공유경제가 붐을 이루었다. 현재 일부 지역(베이징, 상하이, 충칭 등)에서 시범적으로 시행되고 있는데, 기사 없는 자동차 공유 플랫폼 사업이다. 벤츠와 초소형 자동차 스마트(Smart)를 생산하는 다임러(Daimler)사가 2008년에 설립해 베를린, 함부르크, 로마, 마드리드, 밴쿠버 등지에서 운영 중인 차량 공유 플랫폼인 카투고(car2go)가 중국에서는 처음으로 쓰촨성 충칭에 진출하여 2016년 4월부터 영업을 시작했다.

카투고는 자동차 문을 열고 닫을 때 스마트폰에 깔린 앱을 사용하는 방식으로 스마트 차량 수백 대를 충칭 시내 곳곳에 배치해 운영 중에 있다. 운전 환경이 녹녹하지 않은 중국에서 교통법규 위반 처리와 주차 비용과 같은 실질적 문제를 극복하는 과제가 남아 있으나, 향후 발전 가능성을 주시할 필요가 있다. 최종 결제도 역시 스마트폰에 깔린 결제 서비스 앱 즈푸바오(한자 또는 영어)를 활용한다.

한편, 2016년 베이징에서는 고펀추싱(Gofun Chuxing)이라는 국유 자동차 공유 서비스가 시작되었는데, 2017년 말 현재 전국 20개 도시에 1만 5,000대의 차량을 운행하고 있으며, 2018년 말까지는 전국 50개 주요 도시 및 관광 도시에 5만대의 차량을 운행할 계획이다. 앱 가입시 699위안(100달러)의 보증금을 내고, 승차할 때마다 거리·시간 병산제로 1㎞당 1위안, 1분당 0.1위안의 가격이 부가된다. 이 모든 것이 중국의 인터넷 플러스 정책에 의해 활성화되고 있고 중국인들의 일상생활을 크게 바꿔나가고 있다.

자전거 공유 플랫폼

필자가 처음 중국 땅을 밟은 1999년, 베이징에서는 아침 출근 시간에 자동차보다는 신호등에서 대기 중인 자전거가 더 많았다. 그동안 사라진 모습이 2017년 들어 되살아나고 있다. 물론 예전 같지는 않지만 도시마다 자전거 물결이 살아나고 있다. 최근 보편적으로 활용되고 있는 플랫폼인 자전거 공유 서비스 궁샹단처(共享單車)의 등장 때문이다. 인터넷 플러스 정책을 통한 공유경제의 극치를 보여주는 작품이다. BAT 등 중국 IT 기업들은 결제 서비스 등 인터넷 플러스 사업 모델을 찾을 때 미국의 것을 모방했으나, 자전거 공유 플랫폼은 순수 'Made in China'다. 소비자의 단거리 운행 욕구를 충족시키고, 정부의 저탄소 녹색 정책에도 부합한다. 이 자전거 공유 서비스가 도입된 지 1여 년 만에 약 20개 기업이 참여해 수백만 대의 자전거가 거리 곳곳에 배치되고, 가입자가 전국적으로 수천만 명에 이르게 되었다.

그중 시장 선도기업으로, 텐센트도 지분을 투자한 모바이크(Mobike)라는 회사는 2014년 서비스를 제공한 지 3년 만에 상하이, 베이징, 광저우 등 30개 도시에 서비스를 확대했다. 2016년 중국 공유 자전거 시장의 72.5%를 점유하고 있으며, 2017년 말 현재 30억 달러의 기업 가치를 인정받고 있다. 모바이크는 2017년 6월부터 영국에도 진출하여 맨체스터에서 자전거 1,000대로 사업을 시작했다. 영국의 기존 공공 공유 자전거와는 달리, 사용한 후 정해진 장소에 갖다 놓을 필요가 없다는 장점과 저렴한 사용료(30분에 50펜스, 한국 돈으로 750원)로 인기를 끌고 있다.

모바이크의 주요 경쟁 기업으로는 오포가 있는데, 자전거를 자주 도둑맞은 대학생들이 자전거 동아리를 만들어 2015년 9월 캠퍼스

내에서 자전거 공유 서비스를 시작했다가 2016년 9월에 전국 주요 도시를 대상으로 사업을 확대했다. 2017년 말 현재 모바이크와 같이 약 30억 달러 가치의 회사로 성장한 오포도 해외 진출을 추진해서, 이미 싱가포르에서 운영을 시작했고 2017년 영국에서는 캠브리지(Cambridge), 미국에서는 스탠퍼드(Stanford)에서 사업을 시작했다.

미국에서는 이미 자체 공유 자전거 서비스인 비사이클(BCycle)이 운영되고 있으나, 오포에 비해 사용료가 비싸 향후 오포의 시장 확장성이 주목된다. 오포는 그 밖에 카자흐스탄에도 진출하고, 모바이크와 함께 자동차 교통 체증이 극심한 태국 등 동남아시아 진출을 눈앞에 두고 있다.

중국에서 공유 자전거 사업이 발전하고 있는 이유는 다음과 같다. 첫째, 이미 보편화된 스마트폰의 결제 시스템 덕분이다. 둘째, 오랜 전통의 자전거 문화와 밀집된 도시형 인구 구조, 주차장 및 안전장치에 대한 별도의 규정이 없는 등 낮은 규제 수준을 들 수 있다. 한국 돈으로 약 2~5만 원의 가입 보증금을 내고 30분 사용당 85~170원을 지불한다. 모두 스마트폰 앱을 통해 간단히 결제할 수 있다. 사용 방법은 카투고와 동일하며, 지하철역에서 내려 근거리 목적지까지 타고 가거나, 집이나 사무실 주변에서 이동할 때 편리하게 활용되고 있다.

중국 정부는 사람들이 버스·지하철 등 대중교통을 이용할 때 '마지막 남은 1*km*'를 자전거로 이동하기 때문에, 공유 자전거 서비스가 결국 대중교통 이용률을 높이는 효과를 가져온다고 평가한다. 그러나 향후 기업 간 벌어지는 경쟁이 과열되거나 주차 문제로 미관 및 환경 등 도시 관리에 어려움이 생길 경우 규제를 강화할 가능성도 있을 것으로 보인다.

중국 공유 자전거 산업의 호황은 새로운 일자리 창출에도 기여한 것으로 조사되었다. 중국국가정보센터가 발표한 '공유 자전거 업계 고용연구 보고서'에 따르면, 중국 공유 자전거 산업으로 카운터 직원 8,000명, 스마트키 엔지니어 1만여 명, 자전거 엔지니어 4만 2,500여 명, 운송 직원 5,000여 명, 수리 직원 3만 5,000여 명 등 총 10만 명의 일자리가 창출된 것으로 나타났다. 보통 자동화, 전자화, 기계화를 하다 보면 실업이 증가할 것이라고 생각하기 쉬우나, 인터넷 플러스를 통한 공유 자전거 사업은 오히려 고용 증대에도 기여한 좋은 사례로 평가되고 있다.

스마트 도시 건설

이제 인터넷 플러스는 개인의 결제 수단이나 교통수단에 머물지 않고, 도시 전체를 스마트하게 탈바꿈하는 경지로 발전하고 있다. 광저우 시정부는 2017년 9월 텐센트와 양해각서를 체결해 '인터넷 플러스 스마트 도시' 건설을 추진하고 있다. 교통수단을 넘어 의료 혁신, 민생 서비스 개선, 창업 지원 등 다방면에서 인터넷 플러스가 도시 전반에 침투하고 있는 것이다. 이는 광저우가 추진하고 있는

IAB(Internet of Things[사물인터넷], Artificial Intelligence[인공지능], Biopharmaceutics[생명산업]) 산업 발전과 신스마트 도시 건설 프로젝트의 일환으로 추진되고 있다.

텐센트는 빅데이터, 인공지능, 사물인터넷 등이 결합되어 있는 클라우드 플랫폼을 구축해 광저우의 산업을 한 단계 업그레이드하고 있다. 또한 정부기관에 모바일 행정 업무 처리 서비스를 제공하며, 시내에 인터넷 대중 창업 공간을 만들어 스타트업에 기술지원과 창업자문 등의 서비스를 제공할 예정이다. 텐센트는 광저우의 스마트 교통정보화망 건설 등에 협력할 예정이며, 광저우시 자동차 국유기업인 광치그룹(光啓集團)과 협력해 스마트 무인 자동차, 빅데이터를 활용한 마케팅 및 홍보 지원 등에도 협력할 예정이다.

과거 중국인들은 나침반, 화약, 인쇄술, 종이 등 인류 문명에 기여하는 4가지를 발명했다. 최근 중국 거주 외국인 청년들이 선정한 '중국 신(新)4대 발명'이 있는데, 모바일 결제 시스템, 공유 자전거, O2O 전자상거래 등의 인터넷 쇼핑, 고속철도라고 한다. 사실 최초 발원지는 중국이 아니지만, 현재 중국이 거대한 국내시장을 무기로 가장 잘 상업화(commercialization)에 성공시켜 각 분야에서 기술 표준을 선도하고 있다. 모두 거대한 시장을 바탕으로 인터넷 플러스가 가져온 생활 혁명이다. 혁명은 개인에서 사회로, 도시로, 국가로 확장되고 있다.

이러한 생활 혁명의 확장에는 중국 정부의 시장에 대한 믿음도 한

못하고 있다. 중국 정부는 시장의 기능을 믿고, 규제라는 칼을 급하게 들이대지 않으면서 '만만디'로 상황을 살피는 특징이 있다. 그러다 보면, 업체 간의 과당 경쟁은 먼저 피 흘리는 자가 퇴출된다는 원칙에 따라 정리될 것이다. 택시 예약 앱에서는 디디다처가 그런 경쟁에서 승리했다. 자전거 공유 서비스 등 각종 플랫폼 시장이 포화 상태에 있지만, 이 역시 언젠가는 같은 방식으로 정리될 것이 분명하다.

6 개방개혁을 넘어 혁신과 창업으로

개방과 개혁의 도시

선전은 한때 짝퉁(山寨, 샨자이, 중국말로 '산 속의 방이나 집'을 의미하는데, 과거 CD나 VCD 해적판들을 주로 은밀한 산 속의 집이나 거처에서 만들었던 데서 비롯되어 현재는 짝퉁 물건을 총칭해 일컫는 말이다) 휴대전화 공장의 집산지라는 오명을 가진 적도 있었다. 그러나 최근 들어서는 개혁개방과 혁신, 창업의 도시로 거듭나 신산업과 신경제의 메카로 불린다.

중국에서는 대체로 허난성, 안후이성, 장쑤성을 기준으로 양쯔강 이북을 북방(北方)이라고 하고, 양쯔강 이남을 남방(南方)이라고 부른다. 나라가 크다 보니 북방과 남방은 사람들은 외모에서도 차이가 나고 성격과 특성에서도 큰 차이가 난다. 대체로 북방 사람들이 키가 크고 이목구비가 뚜렷한 편이고, 남방 사람들은 키가 작고 둥근 얼굴에 편편한 편이다. 또한, 북방 사람들이 비교적 형식을 중시하고 정치적인데 반해, 남방 사람들은 비교적 실리적이고 계산적이다.

그래서 남방 사람들은 "현금 회전이 느린 직업은 일이 아니라 취미 활동"이라고 여긴다. "광둥에서는 돈 자랑하지 마라"는 말도 있다. 중국 정부의 사드 보복 조치의 영향도 상대적이어서, 북방에 비해 남방은 사드와 관련하여 덜 민감하다. 홍콩, 마카오, 동남아시아 등지에 나가서 돈을 번 화교들 대부분도 광둥성 출신이다. 신생 도시 선전에는 외지 사람이 많이 와 있지만, 대부분은 광둥성 내 다른 도시에서 이주해왔다.

중국의 실리콘밸리로도 잘 알려진 광둥성 해안 지역에 있는 선전은 광둥성의 성도인 광저우와 1~2시간 거리로, 광저우와 함께 광둥성 경제성장의 쌍두마차 역할을 한다. 중국인들은 선전을 개혁의 첨병이고, 창업의 선봉 도시라고 말한다.

선전은 1980년 당시 인구가 33만 명에 불과한 어촌 마을이었으나, 1978년 덩샤오핑의 개혁개방 정책 이후 주변 3개 도시와 함께 1949년 신중국 성립 이후 최초로 대외에 개방되어 경제특구로 지정되었다. 현재는 유동 인구를 포함해 1,700만 명이 살고 있으며, 평균 나이 33세의 젊고 활기 있는 현대 도시로 변모했다. 그래서 선전의 한복판에 있는 나지막한 롄화산(莲花山) 정상에 오르면, 선전 변화의 주역인 덩샤오핑 동상이 도시의 발전을 흐뭇하게 내려다보고 있는 듯하다.

선전은 뉴노멀 시대를 맞이해 지난 6~7년간 낙후 기업을 도태시키고, 전통산업을 개조하며, 첨단 기술 프로젝트를 도입·육성하고, 전략적 신흥 산업을 개발하는 등 혁신적인 노력을 지속적으로 펼쳤다. 시장이 주도하고 중앙정부가 지원한 힘도 컸다고 한다. 시진핑 주석의 아버지인 시중쉰이 문화대혁명 시절 16년간의 옥살이를 하다가 마오쩌둥 사후 1978년 덩샤오핑에 의해 복권된 후 처음으로 맡은 공직이 바로 광둥성 제1서기였다. 그의 주요 업무가 선전의 개혁개방을 추진하는 것이었기에 시 주석도 주석 취임 후 첫 방문지

중국의 4대강(江)

중국은 국토 전체에서 강의 총 길이가 43만㎞에 달한다. 지구를 10바퀴 이상 도는 거리다. 서쪽으로는 티베트고원이 있으며 동쪽으로는 태평양을 향해 있어 낙차가 큰 서고동저(西高東低)의 지형을 취하고 있다. 수력자원이 풍부하며 수력 발전량이 세계 제1위의 6억 8,000만kw에 달한다. 중국에서 4대강을 강의 길이 순서로 살펴본다.

① 양쯔강(揚子江)
중국에서 가장 긴 강으로 전체 길이가 6,211㎞이며 세계에서 나일강과 아마존강에 이어 세 번째로 길다. 티베트 칭짱고원(靑藏高原)에 수원을 두고 국토 면적의 ⅓에 해당하는 11개 성, 시, 자치구를 굽이굽이 거쳐 최종적으로 태평양에 도달한다. 하구에는 상하이, 난징과 같은 대도시가 발전했으며 중간에는 중국 최대 수력발전소인 싼샤(三峽)댐이 있다.

② 황허강(黃河江)
세계 4대 문명의 발생지로 알려진 황허강은 중국에서 두 번째로 긴 강으로 총 길이는 5,464㎞에 달한다. 칭하이성(靑海省)에서 발원해 총 9개의 성과 지역을 거쳐 보하이만으로 유입된다. 황허강의 특징은 워낙 넓은 지역으로 강이 흐르고, 토양의 성질 때문에 강줄기가 자주 변하는 것으로 유명하다. 또한 그만큼 예상하지 못하는 홍수로 인한 자연 재해도 빈번하다. 황허강은 상류의 황투고원을 관통해 황토 진흙이 강물에 유입되어 누런 빛깔을 띠고 있어 이름이 황허가 되었다.

③ 헤이룽강(黑龙江)
중국에서 가장 북부에 있는 강으로 중국과 러시아의 국경을 이루면서 양국을 동시에 관통한다. 총 길이는 4,370㎞이며, 그중 중국 내 강의 길이는 3,422㎞다. 내몽골 지역에서 발원하는데, 헤이룽강은 특히 부식질이 많아서 강물이 흑색을 띠고 있어 헤이룽강으로 지어졌으며, 러시아에서는 '아무르(Amur)강'이라고 부른다.

④ 주장강(珠江)
중국 남부에 있는 강으로 총 길이가 2,214㎞이며 남중국해로 유입된다. 주장강은 본래 시장강(西江), 베이장강(北江), 둥장강(東江)이 모여 형성된 강인데, 그중 시장강이 가장 길고 주된 곳이다. 남부 지역의 아열대성 기후 덕으로 강수량이 풍부해 총 유량이 양쯔강 다음으로 많으며, 토지가 비옥해 쌀을 비롯한 각종 농산물이 많이 생산된다. 하구에 광저우, 선전, 주하이, 홍콩 등의 도시가 이어진다.

를 선전으로 선택하는 등 적극적인 관심을 보였다. 최근에는 마싱루이(馬興瑞) 선전시 서기가 선전을 발전시킨 공적을 인정받아 2017년 초 광둥성 성장으로 승진·부임했다.

웨강아오 대만구 발전계획

한때 조그만 어촌 마을이던 선전이 경제특구로 발전하게 된 요인으로는 1990년대 이후 광둥성 내 주장강을 중심으로 형성된 '주장강(珠江, Pearl River) 삼각주'의 경제권을 들 수 있다. 2017년 4월 8일자 「이코노미스트」는 특집으로 이 경제권에 대해 다음과 같이 보도했다.

"세계은행은 최근 주장강 삼각주가 6,600만 인구로 이탈리아 인구보다 많고 영국 인구에 버금가며, 일본 도쿄만 경제권을 능가하는 거대 도시권(megacity)이 되었다고 발표했다. 이 지역은 지난 10년간 연평균 12% 경제성장으로 GDP가 1조 3,000억 달러에 달해 인도네시아 전체 GDP를 능가하고 있다. 중국 내에서 전국토의 1%에 불과한 주장강 삼각주에는 전체 인구의 약 5%가 주거하고 있으나, 국가 전체 GDP의 10%, 국가 전체 수출의 25%를 능가하며, 전체 외국인 투자의 20%를 유치하고 있다. 또한, 이 지역에서 중국 전체 국제특허출원의 절반을 차지하면서 중국의 혁신을 선도하고 있다. 이러한 눈부신 경제 발전은 자유로운 민영기업의 성장이 없었으면 불가능했다. 이로써 주장강 삼각주는 세계에서 가장 혁신적인 산업 클러스터 가운데 한 곳이 되고 있다."

최근에는 중국 본토 중심의 주장강 삼각주를 넘어, 즉 주장강 삼각주 발전계획의 업그레이드 버전으로 광둥성(粵)-홍콩(港)-마카오(澳)를 하나의 경제권으로 구성하는 '웨강아오(粵港澳) 대만구(大灣區, Greater Bay Area) 발전계획'이 추진되고 있다. 이는 광저우, 선전, 둥관(東莞), 후이저우, 주하이, 포산(佛山), 중산(中山), 장먼(江門), 자오칭(肇慶) 등 광둥성 내 주요 9개 도시와 홍콩, 마카오를 연결하는 연안 경제권을 의미한다.

리커창(李克强) 총리는 2017년 3월 양회에서 정부 업무 보고를 하며 동 계획에 관해 언급했다. 동 경제권 내의 선전, 홍콩, 광저우항은 이미 물동량에서 각각 세계 3대, 5대, 7대 항구이며, 홍콩과 마카오를 대륙의 주하이로 연결하는 55km(해상 35.6km, 해저 6.7km 포함)의 세계 최장 해상 다리인 강주아오(港珠澳) 대교가 2018년 상반기 중 완공될 예정이다. 광저우-선전-홍콩을 연결하는 총 142km의 광선강(廣深港) 고속철도도 2018년 말 완공될 예정이며, 주장강 삼각주 지역 도시를 상호 연결하는 경전철 노선이 2018년 건설을 목표로 추진 중에 있다.

이는 그동안 광둥성이 광저우와 선전을 중심으로 주장강 삼각주 지역에서 저임금 노동력을 기반으로 저부가가치 상품을 제조해 수출하는 방식에서 벗어나려는 것을 의미한다. 결국 홍콩과 마카오로 영역을 확대해 고부가가치 서비스 산업을 포괄하는 산업 구조 조정을 통해 경제를 업그레이드시키겠다는 계획이다.

현재 웨강아오 대만구는 양적으로는 이미 뉴욕만, 샌프란시스코만, 도쿄만과 더불어 세계 4대 만(Bay) 가운데 하나로 성장했다. 그리고 2030년까지 글로벌 선진 제조업 센터, 글로벌 주요 혁신 센터, 국제금융·항공운송·무역센터로 세계 최대의 경제권이자 질적으로도 크게 성장할 것으로 전망된다. 현재 세계 4대 만의 기본 현황을 비교해보면 다음과 같다.

	뉴욕만	샌프란시스코만	도쿄만	웨강아오만
인구	6,500만 명 (전체 20%)	765만 명 (전체 2.4%)	3,500만 명 (전체 28%)	6,760만 명 (전체 4.9%)
면적	2.2만㎢	1.8만㎢	3.7만㎢	5.6만㎢
GDP(최근 GDP 성장률)	1.5조 달러(3.5%)	0.8조 달러(3.5%)	1.3조 달러(3.6%)	1.34조 달러(7.9%)
주요 산업	금융, 항공운수, 컴퓨터	첨단 산업 기술	장비 제조, 철강, 화학공업	전자, 운수, 금융
특징	세계금융 중심, 국제항운 중심	실리콘밸리	정치·경제·산업의 중심	발전 잠재력

웨강아오 대만구 발전계획과 관련해서 필자는 광저우의 화난이공대학(華南理工大學) 양무(楊沐) 공공정책연구원장과 면담하면서 기존의 주장강 삼각주 개발계획과의 차이점에 대해 문의했는데, 양무 원장은 다음과 같이 3가지 측면에서 다르다는 점을 명확히 설명했다.

"첫째, 주장강 삼각주 계획은 발전모델이 한국, 싱가포르, 홍콩, 타이완이었으나, 웨강아오 대만구 발전계획은 뉴욕만, 샌프란시스코만, 도쿄만을 비교 대상으로 삼고 있다. 둘째, 주장강 삼각주 개발계획은 광둥성을 중심으로 제조업 수출 기지 건설에 있었으나, 웨강아오 대만구 발전계획은 홍콩, 마카오, 선전, 광저우를 포함해 미국의 실리콘밸리와 같이 로봇, 인공지능, 사물인터넷, 의료, 통신 등 하이엔드(high-end) 혁신 기지 건설에 있다. 셋째, 주장강 삼각주 개발계획을 추진하면서 이를 통해 수출 증대, 투자 유치 확대, GDP 성장 증대 등을 추구했으나, 웨강아오 대만구 발전계획은 이러한 수치적 성장에 연연치 않고 국내외의 우수한 인재들이 거주, 창업, 경제활동을 할 수 있도록 고품질 생활공간을 만드는 데 주력하고 있다."

필자는 양무 원장의 설명을 들으며, 웨강아오 대만구가 20세기의 뉴욕과 같이 21세기 후반 이후에는 북쪽의 동북아시아와 남쪽의 동남아시아 경제권을 아우르는 세계 경제 중심지로 발전할 것이라는 인상을 받았다.

중국에서 제일 '핫'한 도시

중국에서 대기업이라고 하면 공상은행, 건설은행, 농업은행, 교통은행, 초상은행, 평안보험, 인수보험 등 은행과 보험 관련 회사들과 페트로차이나(PetroChina, 중국석유화공주식공사), 시노펙(Sinopec, 중국석유화공집단공사) 등 석유 관련 자원 회사들이다. 이들은 대부분 국유기업으로 주로 베이징에 본사를 두고 있다. 그러나 IT 등 첨단 기술의 신성장 산업을 이끄는 민영기업의 본사는 주로 선전을 중심으로 소재하고 있다. 중국 IT 관련 상위 100대 기업 가운데 선전에 본사를 둔 곳이 18개나 된다. 매년 초 미국 라스베이거스에서 개최되는 국제소비자가전전시회(CES)는 사실상 전전 소재 IT기업을 중심으로 중국판이 된지 오래다. 2018년 전체 참가 기업 4,500개 중 1,500개 이상이 중국 기업이고, 그 가운데 선전 소재 IT기업만 482개로 다른 국가의 전체 참가 기업의 수(미국 94개, 한국 13개, 대만 8개, 일본 4개) 보다 압도적으로 많다.

이와 같이 선전을 포함한 주장강 삼각주의 경제를 주로 이들 민영기업이 움직이고 있다. 이는 중국의 주요 국유기업 100개 가운데 오직 4개사만이 주장강 삼각주에 소재하고 있는 것을 보면 알 수 있다. 그래서 "중국에서 국유기업을 이해하려면 베이징에 가고, 외국투자기업을 보려면 상하이에 가고, 민영기업을 만나려면 선전에 가라"는 말이 있다.

홍콩에 인접해 그동안 많은 홍콩 자본을 유치해 발전한 선전에는 화웨이, 전기자동차의 BYD, 드론의 DJI, 항공·위성 업체인 광치그룹, 세계 최대 유전자 연구소인 BGI, BAT 중 하나인 텐센트 등 굴지의 첨단 기업들의 본사가 있다. 선전 소재 기업들의 증시 상장 시가총액이 2016년부터 이미 상하이 소재 기업들의 상장 시가총액을 추월했고, 대형 국유기업이 밀집한 베이징을 뒤쫓고 있다. 선전은 시 전체 GDP의 40% 이상을 차지하고 있는 7대 신흥 전략산업과 4대 미래 산업 발전에 역점을 두고 있다. 7대 신흥 전략산업으로는 IT,

인터넷, 신소재, 바이오, 신에너지, 에너지 절약 및 환경 보호, 문화 혁신 산업이 있으며, 4대 미래 산업으로는 해양산업, 항공우주, 건강의료, 로봇장비 산업이 있다. 선전은 과학 기술의 첨단 산업뿐만 아니라 첨단기술과 문화의 융합을 통해 새로운 경제를 창출하는데도 노력을 게을리하지 않는다. '문화+기술', '문화+관광', '문화+금융' 등을 테마로 새로운 산업을 발굴하고 있는 것이다. 그 결과 선전의 1인당 GDP는 2만 5,000달러에 이르게 되었으며, 선전에서 가장 발전한 난산구(南山區)의 1인당 GDP는 5만 달러에 달한다. 선전은 2018년에 총 GDP에서 홍콩을 능가할 것으로 예상된다.

선전에는 대학이 많지 않다. 그러나 지적재산권 신청 건수는 중국에서 베이징 다음이다. 이는 베이징, 상하이와는 달리 대학이나 연구소가 아닌 민영기업이 지적재산권을 많이 신청하기 때문이다. 특히 선전의 국제 출원 비율은 중국 내 1위로 이는 선전에 본사를 두고 있는 화웨이, 중싱(中興) 등 통신 네트워크 기업이 매년 다수의 국제 출원을 내고 있기 때문이다. 과거 선전대학 1개뿐이었으나, 최근에는 베이징대학과 칭화대학이 대학원을 이미 개설했고, 광저우 소재 최고 명문대학인 중산대학도 2019년에 분교를 설립하기로 결정했다.

선전은 현재 전 세계에서 자금과 젊고 유능한 인재를 가장 빨리 끌어들이는 핫(hot)한 도시로 발전하고 있다. 부동산 가격도 천정부지로 뛰고 있어, 중국 정부는 현재의 선전을 주변의 후이저우 등지로 시의 영역을 확대하는 계획을 갖고 있다.

중국사회과학원 재경전략연구원이 2017년 6월 발표한 '중국 도시 경쟁력 보고서'에 의하면, 중국, 타이완, 홍콩, 마카오를 포함한 중화권 294개 도시 가운데 선전이 3년 연속으로 홍콩을 제치고 최고의 경쟁력을 가진 도시로 선정되었다. 이 조사가 시작된 2003년 이래 12년간 홍콩이 수위를 차지했으나, 2015년부터 선전이 1위로 올라선 것이다. 또한, 큐큐(QQ, 텐센트의 모바일 메신저)가 발표한 '2017년 중국 전국 도시 젊음 지수'에 의하면, 선전은 87점으로 2년 연속 가장 젊은 도시에 선정되었다. 같은 1선 도시인 베이징(77점), 상하이(76점), 톈진(76점), 광저우(75점)는 5위권 밖으로 밀려났다.

이와 같이 선전에 젊고 유능한 인재가 많이 모이는 것은 신흥도시인 이유도 있지만, 베이징과 상하이 등 여타 도시가 가지지 못한 선전만의 특징이 있기 때문이다. 바로 임시 거주증 제도다. 선전에서는 후커우(戶口)가 없더라도 살 수 있는데, 선전 인구의 약 70%가 선전의 후커우를 가지고 있지 않다. 선전의 임시 거주증 제도는 전국의 인재를 쉽게 유입하고 혁신 도시로 발전할 수 있는 기반이 되었다.

혁신과 창업의 도시

시진핑 주석은 집권 이후 '대중창업, 만중혁신'이라는 기치하에 창업과 혁신을 강조하고 있다. 엄밀히 말해 혁신은 기존에 없던 새로운 기술 개발을 통해 생산력을 크게 증가시키는 것을 말한다고 한다면, 중국에서 실제 이루어지고 있는 혁신은 약간 개념이 다르다고 할 수 있다. 제4차 산업혁명에서 말하는 인공지능과 사물인터넷, 공유경제의 우버, 신산업의 드론, 전기자동차 등 모두 중국에서 개발된 기술 혁신이 아니라 미국 등 여타 선진국에서 개발된 원천 기술이다.

그러나 중국은 이러한 원천 기술을 거대한 시장, 주변의 서플라이 체인, 정착된 IT 기술, 국가 지원 정책 등에 결합시켜 부가가치를 창출하는 상업화 능력이 뛰어나다. 이것이 중국식 혁신이이며 그 중심에 선전이 있다. 베이징이나 상하이와 같이 심각한 공해가 없으며, 겨울이 없다고 할 수 있을 정도의 온화한 기후가 장점이다. 선전에 가면 시내 한복판에 중국 최대 IT 유통단지인 화창베이(華強北) 전자상가 지역이 있다. 이곳은 1979년에 조성되었으며 2017년에는 3억 위안(500억 원)을 들여 리모델링해 약 20만㎢ 규모의 상업 공간을 만들었다. 지상은 940m의 쾌적한 보행자 전용도로를 만들었고, 지하에는 창업자들이 사업을 하고 있다.

이 일대는 BAT로 대표되는 IT 기업과의 협력 네트워크와 경쟁력이 있는 화웨이 등 주변의 서플라이 체인, 주변 지역과 잘 연결된 교통망과 물류망을 통해 젊은이들의 창업을 촉진하는 환경이 조성되었다. 현재 매장 3만 5,000개를 보유하고, 일일 방문객 수가 50만 명을 상회하는 등 세계 최대 전자제품 유통시장으로 발전했다. 전자제품과 부품 판매와 더불어 근거리에 프로토타입(prototype) 제작업체와 디자인 업체들도 함께 있어 단시간 내 제품화가 가능한 창업의 천국이라고 할 수 있다. 심지어 5분 만에 짝퉁 스마트폰을 만들어낸다는 말도 있다. 약 1,000개의 소규모 다품종 생산이 가능한 공장이 배후에 자리 잡고 있어 제1의 실리콘밸리라고 할 수 있다.

한국은 이러한 선전의 눈부신 발전에 압도되어 주눅이 들 것이 아니라, 선전의 창업 환경을 활용할 수 있어야 한다. 한국의 창업 기업들이 아이디어와 기술력을 갖춘 제품으로 글로벌 기업으로 성장하기 위해서는 중국 현지 시장 환경에 부합하는 사업 전략과 투자 유치가 중요하다. 선전에는 화창베이와 곳곳에 국내외 다수의 민영 창업 촉진센터가 있다. 선전의 환경을 활용해 창업 보육을 전담하는 글로벌 창업 엑셀러레이터(Start-up Accelerator)들이 모이고, 자체적으로 토종 창업촉진센터도 생겨나고 있다. 이들은 창업 자금, 창업 공간, 생산 공장, 유통채널 소개에 이르기까지 종합적인 창업 컨설팅을 제공하고 있어 이러한 창업 플랫폼을 활용하는 것도 한 방법이다.

그러나 한국의 창업 기업들이 워낙 영세해 부동산 가격이나 물가가 오를 만큼 오른 선전에서 오래 버티지 못하고 철수하는 경우가 많아 안타깝다. 한국의 창업 기업들이 국내에서 창업투자 펀드 지원을 받지 못하거나, 중국 내 상당수 엔젤투자 펀드가 인민폐로 조성되고 있어 외국 회사에 대한 투자가 제한되어 자본 조달에도 많은 애로가 있다. 이에 한국 정부가 해외 진출 창업 기업에 대한 투자지원 정책 확대와 대기업에서 전망 있는 창업 기업을 발굴·지원해 선전의 좋은 창업 플랫폼을 활용할 수 있도록 협업해야 한다. 한국 정부와 대기업들의 관심과 지원이 절대적으로 필요하다.

7 황무지를 개척한다 - 화웨이

2020년 스마트폰 시장 세계 1위

한국인 대부분은 아직도 한국이 IT 최강국이며, 중국은 IT 분야에서 한국보다는 많이 뒤처진 것으로 알고 있다. 그러나 중국은 이미 통신장비 분야에 이어 스마트폰 생산에서도 삼성을 추월하려는 기세이고, IT 실생활 활용 측면에서도 결코 뒤처져 있지 않다는 것은 인터넷 플러스 정책에서 이미 살펴보았다. 중국 IT 산업에서는 화웨이(Huawei), 중싱(ZTE) 등이 선봉에 서서 한국을 쫓아오고 있다. 화웨이는 통신장비 분야에서는 2012년 스웨덴의 에릭슨(Ericsson)을 추월해 매출과 순이익에서 이미 세계 제1의 통신장비 회사로 성장했다.

화웨이는 2010년에 불과 300만 대의 스마트폰을 제조했으나, 2015년 생산량은 이미 1억 대를 상회했고, 2016년에는 1억 3,900만 대를 생산했다. 이로써 화웨이 스마트폰은 2016년 전 세계 시장에서 삼성(19.2%), 애플(11.5%)에 뒤이어 3위(8.7%)다. 그다음으로 중국 기업인 오포(6.7%), 비보(5.3%)가 뒤를 잇고 있다. 중국산 브랜드 3개를 합치면 세계시장에서 이미 삼성의 시장점유율을 능가한다.

2016년 초 화웨이는 세계 스마트폰 시장에서 3년 내 애플을, 5년(2020년) 내 삼성을 따라잡겠다고 선언한 바 있다. 이를 위해 화웨이는 2017년 들어 스마트폰에 인공지능 기능을 탑재해 성능을 개선하면서, 첫 번째 목표인 애플의 아이폰 판매를 능가하겠다는 의지를 불태웠다.

중국 스마트폰 시장을 보면, 2015년에 화웨이가 1위에 올라섰다. 그러나 2016년 들어 화웨이의 세계 전략 확대로 오포가 화웨이를 제치고 16.8%, 화웨이가 16.4%, 비보(VIVO)가 14.8%, 애플이 9.6%, 샤오미(Xiaomi)가 8.9%를 차지하고, 삼성은 5위 밖으로 밀려났다.

아직은 삼성이 화웨이에 비해 여러 면에서 앞서 있는 것은 사실이다. 2016년 삼성의 매출액은 202조 원으로 화웨이의 약 91조 원에 비해 2배 이상이다. 스마트폰 판매도 삼성이 약 3억 대 수준인 반면, 화웨이는 1억 3,900만 대다. 삼성은 대체로 계열사를 통한 자체 부품 공급 비율이 높은 반면, 화웨이는 아직도 모바일 D램이나 OLED 등은 한국을 포함한 외부의 부품 의존도가 높다. 그러나 2015년 연구개발비를 보면, 삼성이 16조 원으로 매출액 대비 7.94%인데 비해 화웨이는 11조 원으로 매출액 대비 11.77%에 달해, 삼성을 따라잡으려고 하는 그들의 의지를 엿볼 수 있다.

블랙 스완

화웨이 본사는 중국 개혁개방의 선구적 도시인 광둥성 선전에 있다. 필자는 주 광저우 총영사로서 2016년 3월 선전 푸톈구(福田區)에 소재하는 화웨이 본사를 방문한 적이 있었다. 넓게 자리 잡은 단지에 들어서면 회사 건물들 사이로 인공 호수를 조성하고, 그 안에 여러 마리의 호주산 블랙 스완(Black Swan, 흑조)을 기르고 있었다. 경제학에서 블랙 스완은 "불가능하다고 인식하는 상황이 실제로 발생할 수 있다"는 것을 의미한다. 다시 말해 스완(Swan)이라고 하면 백조(白鳥)라고 생각하기 쉬운데 실제로 세상 어딘가에 흑조(黑鳥)도 있다는 뜻이다. 1997년 아시아 금융위기 당시 한창 유행되기도 한 용어다.

화웨이가 그 비싼 희귀종인 블랙 스완을 호주에서 직접 수입해 회사 내 조성된 인공 호수에 기르는 이유는 화웨이의 슬로건인 "모든 것을 가능케 하라(Make it Possible)"와 연관이 있다. 즉, 화웨이는 예상치 못한 어떤 어려운 일이 닥치더라도 해결할 수 있다는 자신감을 대외적으로 상징해 보여주는 것이기도 하다.

블랙 스완을 보면서 필자는 과거에 읽었던 소설 『대륙의 딸(Wild Swans: Three Daughters of China)』이 생각났다. 문화대혁명 후 영국으로 유학을 떠난 장룽(張戎)이 쓴 논픽션 소설이다. 20세기 격변기 중국에서 외할머니, 어머니, 저자 3대에 걸친 여인들의 파란만장한 생의 기록이자 문화대혁명의 잔혹성을 몸으로 체험한 저자 자신의 처절한 생의 기록을 담고 있다. 화웨이의 'Black Swan'은 G1을 향해 나가는 21세기 중국의 모습을 상징적으로 보여주지만, 장룽의 'Wild Swan'은 20세기 험난했던 중국을 생생하게 이해하는 데 도움이 된다.

현재 화웨이는 전 세계적으로 17만 6,000명의 직원(전 직원의 평균 나이가 29세에 불과하다)을 고용해 글로벌 경영을 펼치고 있다. 충칭대학을 졸업하고 한때 중국인민해방군 군인이었던 창업자 런정페이(任正非)가 1987년 선전 특구에서 2만 1,000위안(370만 원)의 자본금으로 8명의 직원과 함께 통신장비 대리상점으로 창업해 오늘의 화웨이를 일구었다. 기업 설립 이후 전화교환기 등 통신설비 제조업체로 전환하고, 현재는 170여 개 국가에 통신 인프라를 공급하는 글로벌 업체이자 「포브스」가 선정한 '세계 500대 기업' 중 129위를 차지하기도 했다.

매년 총매출의 10% 이상을 연구개발 분야에 투자하고 있는 화웨이는 17만 6,000명의 직원 가운데 45%에 달하는 7만 9,000명이 연구개발 분야에 종사하고 있다. 또 전 세계적으로 16개의 연구개발센터와 36개의 공동혁신센터를 운영하는 등 미래를 위한 투자를 아끼지 않는다. 화웨이는 독특한 경영 방식을 유지하고 있는데, 3명의 부회장이 6개월마다 돌아가면서 CEO를 맡고 있다. 물론 런정페이 회장이 전체적으로 총괄한다.

화웨이 사업은 캐리어(통신네트워크 장비 등), 엔터프라이즈(기업용 IT 솔루션 등), 컨슈머(사용자용 스마트폰, 태블릿PC, 웨어러블 디바이스 등) 등 총 3개 분야로 나뉘어진다. 그 가운데 최근에는 스마트폰 수요 증가로 컨슈머 부문에서 많은 영업이익이 발생하고 있다. 2017년 3월 화웨이는 스마트폰 메이트9을 출시하면서 스마트폰에 아마존의 인공지능 비서 알렉사(Alexa)를 탑재했다. 알렉사 앱을 통해 책을 주문하거나 조명을 켜는 등의 인공지능 비서 기능을 이용할 수 있다.

이로써 화웨이의 메이트9은 아마존이 외부 기기에 알렉사를 탑재한 첫 번째 사례가 되었다. 그리고 10월에 출시한 메이트10에는 더 진화된 인공지능 기능을 탑재해 세계시장에서 애플의 아이폰을 추월하겠다는 의지를 보이고 있다. 또한, 통신네트워크 장비 부문 세계 1위 화웨이는 2019년에 5G 상품을 생산할 계획이다. 5G는 모든 것이 인터넷에 연결된 시대(사물인터넷)를 의미한다. 전문가들은 5G 통신이 상용화되는 시점을 사실상 제4차 산업혁명의 시발점으로 보고 있다. 곧 화웨이는 제4차 산업혁명을 선도할 것이다.

필자가 화웨이 본사를 방문했을 때 화웨이 한국사무소 딩넝(丁能) 대표를 만났다. 그때 화웨이가 한국에서 부품(주로 반도체, 전지, 지문인식기기 등)을 22억 달러나 구매하고 있다는 사실에 놀라기도 했지만, 아직도 한국산 부품 의존도가 높은 데 대해 안도감을 갖기도 했다. 한국에는 180여 명의 직원이 근무하고 있다.

필자는 화웨이가 한국에서 통신장비와 스마트폰을 판매하기 위해 한국 사무소를 둔 것으로 생각했지만, 한국 사무소는 제품 판매뿐 아니라 한국 부품 구입을 위한 활동도 많다는 얘기를 듣고 한중 양국이 상당 부분 상호 의존적임을 알 수 있었다. 사드 보복 조치 이후에도 이러한 관계에는 아직 변화의 조짐이 없다.

딩넝 대표는 화웨이의 기업문화를 런정페이 회장이 언급한 바 있는 소위 '늑대의 특징'에 비유한 예민한 후각, 불굴의 투쟁심, 팀플레이 정신으로 설명했다. 한국사무소 운영에 어떤 애로사항이 있는지 필자가 물었는데, 딩닝 대표는 "개인적 의견이지만, 한국에는 산업 전반에 대한 규제가 너무 많고, 자국 산업 보호 정책을 많이 펼치고 있다. 예를 들어, 100달러짜리 스마트폰이 중국에서는 출시되나, 한국에서는 각종 규제 조치로 인해 300달러짜리 스마트폰도 출시하기 어려운 상황이다. 향후 스마트폰 시장도 PC시장과 같이 성숙 단계에 진입할 것이며, 소비자들도 날로 스마트해지기 때문에 한국은 이에 대비해야 할 것이다"라고 따가운 충고를 해주었다.

2016년 말에 화웨이는 전체 직원을 대상으로 총 1,500억 위안(25조 1,400억 원)에 달하는 막대한 규모의 연말 상여금을 지급했다. 입사 3년차 대졸 출신 정직원은 15~18만 위안(2,500~3,000만 원)의 연말 상여금을 받았고, 2000년 이전에 입사한 정직원은 무려 100만 위안(1억 6,700만 원)이 넘는 상여금을 받았다고 한다. 2016년 기준으로 도시 취업자의 연평균 소득이 약 1,300만 원임을 감안하면 상당한 액수다.

현재 화웨이는 주식시장에 상장하지 않고 있으며, 지분은 창업주(총 지분의 1.4%)와 직원 8만여 명(98.6%)에게 분배되어 있는 것이 특징이다. 이에 대해 런정페이 회장은 다음과 같이 말했는데, 그의 기업가 정신과 화웨이의 미래를 볼 수 있을 것 같다.

"우리는 수입이나 이득에 대해 그다지 신경 쓰지 않습니다. 우리는 좋은 생각과 목표를 위해 노력할 뿐입니다. 화웨이가 상장을 한다면, 주주들은 우리로 하여금 더 많은 분야로 일을 벌여 자신들의 주머니를 두둑하게 하는 일만을 하게 할 것이고, 그러하면 우리는 새로운 황무지를 개척해나갈 수 없게 됩니다."

8 미래 자동차 시장을 선점한다 - BYD

이 차를 통해 당신의 꿈을 꾸어라

선전에는 IT 분야를 포함하여 각종 첨단 기업들이 즐비하다. 텐센트, 화웨이, 중싱 등 IT 기업뿐 아니라 전기자동차 사업으로 이름을 떨치는 BYD(비야디, 比亞迪) 본사도 선전에 있다. BYD는 전기자동차 생산(2016년 약 9만 6,000대 생산, 세계 13%의 시장점유율) 및 전기자동차 배터리 출하량에서 세계 1위 기업이다. 미국의 테슬라(Tesla, 7만 6,000대 생산), 독일의 BMW(6만 2,000대 생산), 일본의 닛산(5만 6,000대 생산)을 앞지르고 있다. 한국의 현대기아자동차는 이 분야에서 세계 20위권 밖에 머물고 있다.

BYD는 중국 내 전기자동차 판매에서도 1위(2016년 하이브리드 포함 연간 7만 대 판매로 시장점유율 25%)를 차지하고 있다. 1995년 2월 CEO 왕촨푸(王傳福)가 250만 위안(4억 2,000만 원)의 자본금과 20명의 직원으로 설립한 회사다. 2002년 7월 홍콩증권거래소에 상장된 후, 2008년 투자의 귀재로 유명한 워런 버핏의 버크셔 해서웨이 에너지 회사가 BYD 주식을 1주당 홍콩 달러 8달러(미화 1달러)에 225만 주를 취득해 일거에 세계적으로 알려지며 유명 기업으로 등장했다.

2016년 말 현재 전 세계적으로 22만 명의 직원을 고용하고, 미국 캘리포니아 랭커스터(Lancaster)에 북미 최대 규모의 전기버스 공장 등 30개 생산기지를 보유하며, 연매출이 150억 달러(17조 3,000억 원) 규모의 기업으로 성장했다. 회사 이름인 BYD의 의미에는 두 가지 해석이 있다. 공식적으로는 'Build Your Dreams'로 '이 차를 통해 당신의 꿈을 꾸어라'라는 뜻이라고 한다. 또 하나는 비공식적인 것으로 'By Your Design', 즉 '당신이 원하는 대로 만들어주겠다'는 뜻이라고 한다.

1995년 설립 당시 BYD는 충전용 건전지를 생산하는 기업에 불과했으나, 그 후 건전지 생산을 기반으로 전기자동차 사업으로 영역을 확장해왔다. 현재 BYD가 추진하고 있는 3대 사업은 IT 산업, 자동차, 전기자동차 및 신에너지 산업이다.

첫째, IT 산업은 2000년부터 리튬전지를 연구개발해 BYD만의 핵심 기술을 보유하기 시작해 2008년에는 전 세계 시장점유율 15%를 차지했다. 중국 최대의 스마트폰 배터리 생산 기업으로 성장했고, 현재 니켈카드뮴전지, 니켈수소전지, 리튬전지 생산 부문에서 세계 제1의 시장점유율을 차지한다.

둘째, BYD 자동차는 충전지 제조업체인 BYD의 자회사 형태로 설립된 자동차 생산 전문 업체다. BYD가 2005년 중국 서부 지역 시안의 자동차 제조업체를 인수하면서 가솔린 자동차 산업에 진출했다. 자동차 유리와 타이어를 제외한 모든 부품과 디자인을 이미 국산화해 최근까지 매년 100% 이상의 놀라운 성장세를 보이며, 소형차 부문에서 중국 내 제1위의 업체로 성장했다.

셋째, 신에너지 산업에는 태양 농장(Solar Farm), 에너지 충전소(Energy Storage Station), LED 조명, 전기자동차, 전기지게차 등이 있는데, 특히 전기자동차는 구매자에 대한 보조금, 세금 감면, 번호판 지원 등의 강력한 정부 지원 정책에 힘입어 저렴한 가격에 판매되어 인기를 끌고 있다.

BYD는 최근 이 세 분야 외에 경전철 대중교통 사업에 참여하기 시작했다. 국가개발은행에서 자금을 지원 받아 지방 2~3선 도시를 중심으로 경전철 사업을 확장하겠다는 계획이다. 점차 교통 체증이 심해지고 있는 지방 도시의 교통 문제를 해소하기 위한 것인데, 원가 절감 측면에서도 BYD의 단일궤도(모노레일) 경전철 방식은 주목을 받고 있다. 단일궤도 방식은 기존의 양립형 레일이 아니라 가운데 하나의 레일 위로 기차가 달리는 방식이다. BYD 경전철교통연구원의 자체 개발 기술로 2017년 상반기부터 광둥성 산터우, 쓰촨성 광안(廣安), 닝샤(寧夏)자치구의 인촨(銀川) 등 지역에 건설되고 있으며, 필리핀과 이집트 등 해외 진출을 추진하고 있다.

필자는 2015년 7월 BYD 선전 본사를 방문해 당시 류쉐량(柳學亮) 총경리를 만났다. 필자가 한국 진출 계획을 묻자, 류쉐량은 "한국의 전기자동차 시장에 진출을 희망하고는 있으나, 관세가 15%로 매우 높으며, 인증 기간이 너무 많이 소요되는바(1.5년), 그 정도 시간이면 새로운 모델이 나올 수 있어 좀더 완화된 시장 개방 조치가 있기를 희망한다"고 말했다. 중국의 전기자동차 공세에 대한 한국의 수세적인 입장을 느끼게 하는 대목이다.

전기자동차 시장

중국에서도 지난 10년간 1인당 국민소득과 자동차 생산량이 급격히 증가하면서 심각한 대기오염이 초래되었다. 이 때문에 중국 정부는 대기오염 해소를 위해 신재생에너지 자동차 생산에 역점을 두고 있다. 2011년 '에너지 절약과 신재생에너지 자동차 발전계획(2011~2020)'을 발표하면서, 특히 전기자동차 육성을 위한 강력한 의지를 표명했다. 이 계획에 따르면, 2020년까지 전기자동차 등 신재생에너지 자동차를 500만 대까지 보급하겠다는 목표를 세웠다.

즉, 신재생에너지 자동차의 중국 내 시장점유율을 2016년 1.8%에서 2020년까지 12%로 올리겠다는 대담한 목표를 가지고 있는 것이다. 2016년에 순수 전기자동차, 플러그인 하이브리드, 연료전지 자동차 등 신재생에너지 자동차 50만 7,000대(전체 자동차 시장에서 차지하는 비중은 1.8%)가 판매되었는데, 이는 전년 대비 53%나 증가된 수치다. 이로써 중국은 2015년 이래 세계 최대 신재생에너지 자동차 시장이 되었다.

중국의 전기자동차 시장이 뜨거워지고 있다. 세계 최대 전기자동차 시장이다 보니 글로벌 기업들로서는 가만히 있을 수 없는 것이다. 최근 폭스바겐과 장화이자동차(江淮汽車), 포드와 중타이자동차(衆泰汽車), 볼보와 지리자동차(吉利汽車), 르노닛산과 둥펑자동차(東風汽車)가 중국에 전기자동차 합작법인을 각각 세우기로 했다. 미국의 테슬라도 관세 효과 및 중국 정부의 전기자동차 지원 혜택을 받기 위해 상하이 자유무역시험구(FTZ)에 공장 건설을 계획 중이라는 소식도 들린다. 적 진영에 뛰어들어 BYD에 정식 도전장을 내미는 격이다. 테슬라는 2017년 초에 텐센트의 투자도 유치했다. 텐센트는 테슬라의 지분 5%를 매입해 테슬라의 중국 시장 진출을 지원하고, 나아가 자율주행 자동차, 인공지능 등 제4차 산업혁명 분야에서 협력할 것으로 기대된다.

BYD의 세계시장 진출도 활발하다. 2017년 10월 말 벨기에에서 세계 최대 버스 박람회인 '2017 버스월드'가 개최되었는데, 여기에서도 BYD는 여타 유럽 국가의 업체들을 제치고 선두에 서서 박람회를 주도했다. BYD가 만든 전기버스는 환경 규제가 강화되는 세계 시장에서 이미 2만 7,000여 대가 운행되고 있다.

2016년 중국의 전체 자동차 생산량은 2,812만 대이며, 판매량은 미국의 1,750만 대를 크게 상회하는 2,803만 대다. 개인의 자동차 보유량은 1억 6,000만 대를 상회하고 있으나, 아직 1,000명당 120대에 불과해 성장 가능성이 큰 시장이다. 이 가운데 2016년 신재생에너지 자동차 판매량은 50만 7,000대로 전체 자동차 판매량의 1.8%에 불과해, 전기자동차의 중국 시장 내 확장성은 무한하다.

9 드론으로 세계의 하늘을 지배한다 - DJI와 이항

드론으로 세계의 하늘을 지배한다

드론(Drone)의 어원이 어디에서 왔는지 잘 모르지만, 용의 드래곤(Dragon)과 발음이 유사하다. 용의 나라 중국에서 만든 드론이 용을 대신해 세계의 하늘을 지배하고 있다. 드론 산업은 신성장 산업으로 전 세계적으로 1,000개가 넘는 회사들이 참여해 치열한 경쟁을 벌이고 있다. 드론이 등장한 초기에는 프랑스의 패롯(Parrot), 미국의 로보틱스(Robotics), 독일의 아스텍(Astec) 등이 세계시장을 주도했고, 아직도 일부 첨단기술 영역에서는 이들 기업이 주도하고 있다.

최근에는 전 세계 민간용 드론 시장의 70% 이상을 DJI(大疆創新, 다장촹신)라고 하는 중국의 한 업체가 점유하고 있는 등 중국의 진출이 눈에 띈다. 군사용 드론에서도 중국은 최대 수출국이다. 중국 드론 산업이 빠르게 성장할 수 있는 배경에는 우선 세계 최대 드론 업체인 DJI의 선도적 역할을 들 수 있다. 그 밖에 미국과 유럽에 비해 저렴한 가격과 이를 통한 기술 고도화, 간편한 조작, 아이디어를 실용화하는 데 필요한 스타트업 환경이 잘 갖추어져 있기 때문이라고 할 수 있다.

드론의 영역은 촬영에서 농업, 물류, 재난구조, 기상 분야 등으로 점차 확대되고 있다. 강한 바람에 약하다는 단점, 배터리 용량의 제약, 안전과 사생활 침해 등에 관한 법적 제도 미비 등의 한계에도 중국의 드론 시장은 확대일로에 있다. 2015년에 23억 3,000만 위안 규모에서 2018년에는 110억 위안 규모로 확대될 것으로 전망한다. 중국 제2의 전자상거래 업체인 징둥은 향후 3년 내에 쓰촨성에 드론 전용 공항 150개를 건설해 운영하겠다고 발표했다.

엄청난 인구와 넓은 영토를 가진 중국은 쓰촨성과 같이 산악 지역이나 교통시설이 미비한 곳에서의 물류 개선을 위해 드론을 요긴하게 이용하고 있는 것이다. DJI의 영향으로 중국에서는 2015년 한 해에만 400여 개의 드론 업체가 새롭게 생겼고, 이들의 투자 금액은 6억 달러에 달했다.

이제 세계 최대 드론 업체로 선전에 본사를 두고 있는 DJI와 중국 내 2~3위의 드론 업체로 광저우에 본사를 두고 있는 이항(亿航, Ehang)에 대해 소개한다.

세계 제1의 드론 기업: DJI

중국 선전 시내에 단독 건물을 보유하고 있지는 않지만, DJI가 입주해 있는 건물에는 늘 방문객으로 붐빈다. DJI의 중국 이름은 다장창신(Da Jiang Innovation)으로 보통은 줄여 다장이라고 부른다. 회사 사훈(社訓)이 대지무강(大志無疆)인데 "큰 뜻에는 장벽이 없다"는 의

미다. 이는 산과 강을 넘나드는 드론을 상징해 만든 것으로 보인다. DJI는 정말 장벽을 넘어 거침없이 성장해 중국은 물론 세계 최대 드론 생산업체로 성장했다.

홍콩과학기술대학에서 컴퓨터를 전공한 당시 26세(1980년생)의 왕타오(汪滔)가 2006년 50명의 직원으로 창업해 현재 5,500명 이상의 직원이 근무하는 글로벌 기업으로 성장시켰다. 이러한 신산업의 급속한 성장 뒤에는 중국 지방정부의 지원이 있었다. 선전시 정부는 2013년 12월 선전 항공우주산업 발전규획(2013~2020)을 발표했다. 지방정부는 2020년까지 선전을 드론 산업 중심지로 육성하기 위해 관련 산업 기지를 조성하는 등 매년 드론 산업에 대한 투자 비중을 높이고 있다.

현재 DJI는 유럽과 미국을 주요 시장으로 전 세계 민간 무인기 시장의 70% 이상을 점유하며, 80% 이상의 제품이 수출되어 전 세계 100여 개 국가로 팔려나간다. DJI 제품들은 영화 제작에서부터 농업, 수색 및 구조, 에너지 인프라 등 다양한 산업에 활용되고 있다. 또한, 미국 아마존에 무인 택배 시스템의 핵심적인 솔루션을 제공하고 있다. 2011~2015년간 글로벌 매출액 기준으로 약 100배나 성장했으나, 아직 주식시장에 상장하지는 않고 있다. 2015년 5월 미국의 벤처캐피탈인 악셀(Accel)사는 DJI에 7,500만 달러를 투자하고, 당시 「월스트리트저널」은 DJI의 시장가치가 100억 달러 이상이라고 보도한 바 있다.

필자는 2016년 5월 선전에 소재한 DJI 본사를 방문했다. DJI의 아태 지역 홍보과장 케빈 온(Kevin On)은 DJI 제품에 대한 경쟁력을 이렇게 말했다. "DJI는 신제품 팬텀4를 기반으로 짐벌(gimbal: 떠 있는 물체가 흔들림 없이 수평과 연직으로 놓일 수 있도록 전후좌우 회전을 허용하는 지지틀로 드론 본체와 카메라를 연결해 카메라의 진동을 흡수하는 부품) 기술에서 세계 최고입니다. 민간용 드론은 최대 고도 150*m*(헬기 항로의 최소 고도)에서 최대 적재 12*kg* 수준으로 최대 25분을 비행할 수 있으며, 특히 DJI 제품은 비행금지 구역에서 자동으로 시동이 걸리지 않는 기능과 물체의 10*m* 전방에서 더는 전진하지 않는 센서 기능을 탑재하고 있습니다." DJI는 한국에서의 소매 판촉을 위해 2015년 서울에 플래그십 스토어(flagship store)를 열었다.

유인 드론 제작사: 이항

필자는 「광저우일보」에서 2016년 화난 지역 젊은이들을 대상으로 조사한 '젊은이들이 가장 일하고 싶은 기업' 순위에서 1위를 차지하고, 광저우에 본사를 두고 있는 중국 제3의 드론 업체인 이항을 2017년 3월에 방문했다. 이항이 주목을 받은 것은 사람이 탈 수 있는 유인(有人) 드론인 이항184를 세계 최초로 상용화한 데 있다. 2016년 1월 세계 최대 IT 전시회인 라스베이거스 CES(Consumer Electronics Show)에서 처음 공개되었다. 현재 사람을 탑승시켜 띄우는 시험 비행(autonomous flying-taxi service)을 준비하고 있다. 현재까지 개발된 이항184는 1명이 탑승 가능하고, 최대 중량 100kg을 적재할 수 있으며, 최고 시속 100km, 최대 고도 900m로 설계되어 있다. 필자도 이항을 방문했을 때 이항184에 탑승해 보았는데, 향후 시험비행의 성공 여부와 성인 1명이 간신히 들어갈 수 있는 크기로 경량화하는 것이 과제다.

이항은 2014년에 설립된 신생 회사로, 15세에 대학에 들어가 18세가 된 1998년에 칭화대학 컴퓨터학과를 조기 졸업한 후 중국 정부의 주요 국제 항공 관련 행사시 관제센터 운영을 담당했던 후화즈(胡華智, 1977년생) 회장 등 3명이 공동창업했다. 회사 이름 이항은 '많은 사람이 드론을 타고 새처럼 세계를 날아다닌다'라는 의미다. 이항은 전 세계 최초로 스마트폰 앱을 통해 드론을 조종할 수 있는 기술(아바타 모드: Avatar mode)을 개발했다. 사용자가 스마트폰의 지도에 출발점과 도착점을 지정하면 자동 비행하는 모드와 추적 목표물을 지정하면 자동으로 목표물을 따라 날아가는 추적 비행 모드의 기능을 갖추고 있다. 또한, 가상현실(VR) 기술과 결합해 VR 안경을 쓰고 있으면 조종하는 사람의 눈이 가는 곳으로 드론도 함께 움직여 드론에 직접 타고 드론을 조종하고 있는 기분이 들게 한다. 최근에는 바이두의 음식 배달 협업 서비스 등을 통해 빠른 성장세를 보이고 있다.

필자가 이항을 방문했을 때 공동창업자 3인 가운데 1인으로 28세(1989년생)의 CMO(Chief Marketing Officer) 슝이팡(熊逸放)을 만났다. 그는 「포춘」이 선정한 중국의 30세 이하 30대 기업인으로 선정된 바 있으며, 2016년에는 서울포럼(Flying Car Forum)의 개막식에 참석해 특별 강연을 하기도 했다.

필자가 슝이팡에게 젊은 나이에 창업한 이유를 물었다. "저는 후화즈 회장도, 드론에 대해서도 전혀 몰랐는데, 미국 듀크대학에서 MBA를 마치고 중국에 돌아온 2014년 어느 날 길가에서 드론을 날리고 있는 후화즈 회장을 우연히 만난 것이 계기가 되었습니다." 또한 이항의 경쟁력에 대해서는 이렇게 말했다. "스마트폰 앱으로 드론을 조정하는 비행 컨트롤 시스템 외에 1,000대의 드론을 동시에 통제할 수 있는 통신네트워크의 안정성과 이항이 자체적으로 운영하고 있는 드론 관제센터를 들 수 있습니다. 광저우에 있는 드론 관제센터는 드론에 특화된 기술을 통해 중국에서 스마트폰으로 미국에 있는 드론을 조정하며 통제할 수 있습니다."

슝이팡과 흥미로운 대화를 이어가던 중 필자가 가장 인상에 남았던 이야기는 드론 시장에 대한 전망이었다. "현재 우후죽순으로 드론 기업이 많이 생겨나고 있지만 2~3년 내에 기술력을 가진 기업만이 살아남을 것입니다. 5~10년 후에는 드론이 우리 생활 곳곳에서 중요한 역할을 할 텐데, 특히 하늘에서 사물인터넷의 핵심적 네트워킹 기능을 담당하게 될 것입니다."

필자는 DJI와 이항 방문을 통해 중국에서 막 일어나 번지기 시작한 젊은이들의 제4차 산업혁명의 기운을 느낄 수 있었다.

10 중국 신경제의 선두 주자 - BAT

바이두, 알리바바, 텐센트

최근 중국에서는 BAT란 용어가 자주 사용되고 있다. '박쥐'가 아니라, 중국의 신경제를 이끌고 있는 바이두(百度, Baidu), 알리바바(阿里巴巴, Alibaba), 텐센트(騰訊, Tencent) 3개 인터넷 회사의 이니셜을 따온 것이다.

BAT 가운데 가장 활발한 활동과 성장세를 보이고 있는 텐센트는 1971년생으로 선전대학 컴퓨터학과를 졸업한 마화텅(馬化騰) 회장이 1988년 17세의 나이에 친구 5명과 함께 선전에서 텐센트 컴퓨터시스템 유한회사를 설립한 것이 오늘날 텐센트의 출발점이 되었다. 한국에서도 친숙히 사용되고 있는 위챗(Wechat)을 만든 SNS 회사로 미국의 페이스북, 한국의 카카오톡에 해당한다. 마화텅 회장은 미래 시대는 모바일 인터넷이 대세가 될 것임을 일찍부터 직감하고, 2011년 웨이신을 출시해 중국 모바일 인터넷 시장의 주역이 되었다.

2017년 3월 현재 위챗을 사용하는 이용자는 전 세계적으로 10억 명에 달한다고 한다. 텐센트는 2004년 상장한 이후, 2013년 9월 시가총액 1,000억 달러를 넘기고, 2015년 4월 2,000억 달러를, 2017년 5월 3,000억 달러를 넘자마자 기하급수적으로 성장해 2017년 말에는 5,000억 달러를 돌파하면서 세계 10대 기업으로 부상했다. 한편, 텐센트는 이미 중국 내 택시 공유 앱인 디디다처에 투자하고 있으며, 2017년 3월에는 미국의 전기자동차 회사 테슬라의 지분 5%(17.8억 달러)를 인수하는 등 교통 분야, 나아가 제4차 산업혁명의 핵심인 인공지능 등에 이르기까지 사업 영역을 확대해나가고 있다.

알리바바는 우리에게도 잘 알려진 1964년생 마윈(馬雲) 회장이 1999년에 창업한 전자상거래 회사다. 미국의 아마존과 이베이, 한국의 G마켓에 해당하는데, 이미 미국의 아마존과 이베이를 합한 거래 총량을 능가할 정도로 성장했다. 중국의 최대 온라인 쇼핑몰인 타오바오, 티몰(Tmall) 등 100개가 넘는 계열사를 가지고 있다. 그 밖에 생명과학 분야 및 제조업 분야에도 진출해 중국 경제의 혁신을 선도하고 있다.

바이두는 1968년생인 리옌홍(李彦宏) 회장이 2000년에 10명의 직원으로 시작한 회사다. 현재 2만 명의 직원을 가진 중국 내 최대 포털사이트로 성장해 미국의 구글, 한국의 네이버와 같은 검색 전문 사이트다. 2016년부터 호텔, 영화, 배달 등 생활 서비스 분야 O2O에도 진출하기 시작했고, 그 외에 인공지능 분야에서 선점하기 위해 많은 투자를 하고 있다.

중국에는 스티브 잡스나 마크 저커버그와 같이 원천 기술로 기업을 일으킨 창업자는 없지만, 인구 13억 7,000만 명 시장을 대상으로 BAT와 같은 거대한 기업을 만들어내고 있다. BAT가 만든 SNS나 결제 수단이 국경을 넘어, 한국이나 동남아시아에서도 쓰이기 시작하고 있으니 그 시장 규모는 어마어마하다. 매년 중국의 부자 순위를 발표하는 후룬 부자 명단(Hurun Rich List)에 의하면, 2017년 상위 10위에 BAT 회장 3명이 모두 포함되었다. 텐센트의 마화텅이 378억 달러로 2위, 알리바바의 마윈이 303억 달러로 3위, 바이두의 리옌훙이 189억 달러로 7위에 올라 있다.

또한, 영국의 컨설팅 회사인 브랜드 파이낸스(Brand Finance)가 2017년 2월 발표한 회사 브랜드 가치 순위에서 세계 500대 기업 중에 중국 기업이 55개나 선정되었다. 그중 알리바바가 348억 6,000만 달러, 화웨이가 252억 3,000만 달러, 텐센트가 222억 7,000만 달러를 기록해 50위 이내에 들었다(전체적으로는 구글이 1,090억 달러로 1위, 2위는 애플이 차지했으며, 중국 기업 중에는 국유기업인 공상은행이 478억 3,000만 달러로 1위를 차지했다). 민영기업인 BAT는 언젠가 인터넷 사업에 한계가 있을 것을 예상하고, 그동안 다수의 중국인을 상대로 체득한 경험을 바탕으로 제4차 산업혁명의 핵심이 되는 인공지능과 자율주행 자동차 등 신성장 동력 산업 분야에 투자를 확대해나가고 있다.

BAT 외에도 수십 개의 기업이 전자상거래와 첨단 분야에서 치열한 경쟁을 하고 있다. 중국에 있는 인터넷 상점 6만여 개와 인터넷 금융 중개상 6,000여 개가 모바일 인터넷 경제를 이끌고 있으며, 시장 또한 매년 급성장을 하고 있다. 중국 정부의 혁신 및 창업 지원 정책하에 전국 20여 개 경제특구에 2만여 개의 기업이 하루가 다르게 성장하고 있다. 전국의 경제특구 면적(501㎢)은 미국 실리콘밸리의 5~6배에 달한다. 중국에는 매년 800여만 명의 대학생이 졸업하는데, 이는 미국의 4배다. 이 가운데 많은 수가 졸업 후 첨단기술, 혁신, 창업 분야에 뛰어들어 오늘날의 중국 신경제를 이끌고 있다.

인공지능, 가상현실, O2O로 확장하는 BAT

인공지능

인공지능 분야에서 중국의 약진은 괄목할 만하다. 중국의 인공지능 산업 시장은 2016년 13억 8,000만 달러에 달했다. 세계적인 학술정보 데이터베이스인 웹오브사이언스(Web of Science)에 따르면, 인공지능 분야 논문을 제일 많이 제출한 국가가 바로 중국이다. 중국이 전체의 31.2%로 미국의 15.4%를 크게 상회했다. 한국은 중국에 비해 상당히 뒤처져 2.9%로 15위라고 한다. 2017년 7월 중국 국가발전개혁위원회(NDRC)는 2030년을 목표로 미국을 능가하는 혁신형 국가와 과학기술 강국 건설을 위한 '신세대 인공지능 발전계획'을 발표했다.

민간 분야에서는 BAT가 풍부한 자금력을 기반으로 연구소 설립, 외부 기관과의 협력, 벤처 기업 인수합병 등을 통해 적극 참여하고 있다. 그중 바이두의 참여가 두드러진다. 2013년 베이징에 심층학습 연구소(IDL: Institute of Deep Learning)와 2014년 미국 실리콘밸리에 인공지능 연구소를 설립하면서, 최근 3년 동안 200억 위안(29억 달러)

을 투자하고 자체 인공지능팀에 1,300명의 인원을 배치했다. 바이두의 이러한 노력에 힘입어 중국 국가발전개혁위원회는 2017년 바이두를 인공지능 분야에서 심층학습(deep learning) 기술 및 적용, 상호연관 기술, 시각적·촉각적 기술, 표준화 서비스 등을 연구하기 위한 국가 연구소(National Institute) 운영 기관으로 지정하고, 칭화대학과 베이징 항공항천대학(베이항대학)과 팀을 이루어 공동연구를 하도록 했다. 오픈 이노베이션(Open Innovation: 개방적 혁신) 시대에 걸맞게 중국 내 산·관·학 협력이 활발해졌다.

2017년 4월 초 선전에서 '중국, 새로운 인공지능의 시대'라는 주제하에 2017년 중국 IT 기업 지도자회의가 개최되었다. BAT 3개사 회장이 모두 참석했는데, 여기에서 인공지능 개발에 먼저 참여한 바이두의 리옌훙 회장은 "인공지능은 인터넷의 한 부분이 아니라, 인공지능 그 자체가 하나의 커다란 혁신의 변화"임을 강조했다. 또한 향후 20~50년간 빠른 발전이 예상되므로 이에 대비하기 위해서는 여러 회사 간의 협력이 필요하다고 언급했다.

알리바바의 마윈 회장은 제4차 산업혁명의 핵심이 데이터에 있다고 하면서 빅데이터, 클라우드 컴퓨팅, 인공지능 중심 분야에서 중국이 새로운 기회를 잡아 세계를 선도해야 한다고 강조했다. 텐센트의 마화텅 회장은 인공지능이 바둑의 알파고에 머물지 않고 금융, 의료, 보안 분야 등에서 그 역할이 점점 더 커질 것이라고 전망했다.

가상현실

중국은 가상현실(Virtual Reality) 분야에서도 세계의 선두 주자로 부상하고 있다. 가상현실 세계시장이 이제 막 형성되는 단계에 있지만, 중국은 패스트 팔로어(fast follower)가 아닌 퍼스트 무버(first mover)로 등장하고 있는 것이다.

최근 중국의 부동산 회사들이 중국에서 벌어들인 자본으로 해외 부동산에 많은 투자를 하고 있다. 이러한 부동산 구매자 중에는 부동산 투자로 부자가 된 중국인이 많아, 부동산 회사들은 이들을 대상으로 판촉 활동을 벌이고 있다. 고객들에게 직접 외국에 개발된 부동산을 경비와 시간을 들여 직접 방문하지 않고도 중국 내에서 발전된 가상현실 기술을 통해 외국에 있는 아파트 내부는 물론 아파트 단지 주변 구석구석을 실재처럼 볼 수 있게 한다.

이러한 부동산 서비스에 힘입어 중국이 가장 중요한 가상현실 시장이 되고 있다. 가상현실 기술 측면에서는 미국의 페이스북이 소유하고 있는 오큘러스(Oculus, 페이스북이 23억 달러에 인수했다)가 아직은 선두 자리를 유지하고 있다. 그러나 2017년 이후 급속히 추락하고 있으며, 일본의 소니와 타이완의 HTC, 구글, 한국의 삼성 등이 그 뒤를 바짝 추격하고 있다.

그러나 시장 측면에서 보면 서구 기업들의 가상현실에 대한 관심이 아직 게임 등 제한된 분야에 머물러 있는 반면, 중국 기업들의 관심은 부동산 등 일반 생활과 산업에 확산되고 있다. 앞으로는 교육 부문에서도 적용될 가능성이 높아 거대한 시장이 형성될 것으로 보인다.

골드만삭스는 아직은 미미하나 2025년에 이르면 세계 가상현실 시장이 600억 달러 규모로 성장할 것이며, 가상현실 하드웨어와 소프트웨어 시장이 각각 절반씩 차지할 것으로 예상한다. 중국은 이미 하드웨어 시장의 $\frac{1}{3}$을 차지하고 있다고 한다. 중국의 가상현실 시장은 2015년 2억 2,000만 달러, 2016년 8억 2,000만 달러로 급성장하고 있다.

가상현실 전문가들은 향후 가상현실은 현재와 같이 고글(안경)을 사용하지 않고 스마트폰으로 연결해 보게 될 것으로 전망한다. 이는 결국 중국의 화웨이, 오포, 비보와의 연결을 의미한다. 중국의 전자상거래 기업인 알리바바는 가상현실 기기를 이용해 물건을 구입하는 서비스를 제공할 예정이며, 텐센트는 가상현실 영화 제작을 서두르고 있는 등 중국 업체 간의 상호 연계를 통한 첨단 신산업을 이끌어나가고 있다.

O2O

BAT는 자신의 전문 사업에만 머물지 않고 하루가 다르게 사업 영역을 확대해나가고 있다. 그들은 매일매일 진화하고 있고 그 속도가 무섭고 빠르다. 예를 들면, 바이두는 생활서비스 O2O뿐 아니라 외국의 인재들을 영입해 자율주행 기술, 의료 분야에 인공지능 접목, 증강현실(AR: Augmented Reality), 가상현실 등에도 눈을 돌리고 있다. 또한, 알리바바는 자동차 제조를 제외한 매매, 세차, 정비 및 수리, 차량 공유 등 자동차 서비스 전 부문을 망라한 O2O 시장 선점에 나섰다. 중국의 O2O 플랫폼의 추세는 기존의 'Online to Offline'에서 오프라인에서 물건을 확인하고 온라인에서 주문하는 형식의 'Offline to Online'으로 변화하고 있는데, O2O에서도 BAT의 활약은 눈에 띈다. 텐센트 역시 종횡무진 변신을 거듭하면서 신산업으로 확장을 시도하고 있다.

중국에서는 BAT에 이어 새로운 모바일 인터넷 경제를 대표하는 혁신 기업으로 TMD가 떠오르고 있다. TMD는 인공지능 기반의 콘텐츠 제공회사인 터우탸오(頭條, Toutiao), 중국 최대 O2O 사이트이자 맛집과 여행정보 제공 업체로 한국의 미래에셋그룹도 2017년 10월 130억 원(지분율 1% 미만)을 투자한 메이퇀(美團, Meituan), 콰이디다처와 우버를 차례로 인수하며 자동차 콜서비스 최후의 승자가 되었으며 한국 투자파트너스가 2016년 4월 225억 원을 투자한 디디(滴滴, Didi) 등 3개사의 이니셜에서 따온 것이다.

중국에는 그만큼 우량 IT 기업이 넘쳐난다는 것을 의미하는데, 앞으로 이들의 성장세와 변신, 그리고 진화의 모습에 관심을 갖고 지켜봐야 한다.

11 방대한 유전자 정보로 세계를 제패한다 - BGI

세계 제1의 유전자 분석 회사

중국 선전에는 또 하나의 세계 제1위 기업이 있다. 중국어로는 화다지인(華大基因)이며, 영어로는 BGI(Beijing Genomics Institute)로 세계 최대 게놈(유전자) 검사 및 분석 회사다. 1990년 4월 미국 주도하에 시작된 유전자 해독을 위한 '다국적 인간 게놈 프로젝트(HGP: Human Genome Project)'에 중국이 미국, 독일, 일본 등과 함께 참여(중국은 1% 참여)하게 된 것이 BGI 창립 배경이 되었다.

1999년 HGP에 참여한 바 있는 중국인 가운데 젊은 유학파 과학자들이 주축이 되어 베이징에 BGI라는 유전자 연구기관을 설립해 소위 산-학-연 일체형 모델을 만들었다. 이후 BGI는 2002년에 벼(쌀) 게놈 해독에 성공하고, 2007년에 개혁개방 혁신 창업의 도시 선전으로 본사를 이전해 의료, 농업, 환경 등의 분야로 연구를 확대하는 등 괄목할 만한 성과를 거두었다.

BGI는 2012년에 이미 전 세계의 유전자 분석 장비(DNA Sequencer: 유전자 염기서열분석기)의 절반을 생산하는 세계 최대의 게놈 분석 회사로 부상했다. 2013년에는 미국 캘리포니아에 있는 세계적 DNA

염기서열 분석 회사인 컴플릿 게노믹스(Complete Genomics)를 1억 1,800만 달러에 인수했다. 그동안 15억 달러의 투자를 외부에서 유치했으며, 현재 회사 가치는 약 20억 달러에 달하는 것으로 추정된다. 전체 직원 5,700명의 평균 연령이 30세 미만이고, 그 가운데 박사 학위자가 1,000명에 달한다. 2017년 현재 연 매출은 2억 달러의 회사로 성장했으며, 지금까지 2,000편이 넘는 논문을 「네이처」 등 글로벌 저널에 발표했다.

바이오산업에서는 방대한 유전자 정보를 확보하는 것이 주요 과제이자 경쟁력이다. BGI는 국가에서 위탁 관리하고 있는 유전자은행(China National GeneBank)에 1,000만 개의 유전자 샘플을 확보해두고 있다. 미국 등 여타 국가의 유전자은행이 유전자 데이터만을 보관하고 있는데 반해, 중국의 유전자은행은 유전자 관련 데이터는 물론 샘플과 실제 살아 있는 생물자원까지 보존하고 있는 점이 차이이자 경쟁력이다.

반면, 한국은 비교적 뛰어난 유전자 분석 기술과 IT 인프라를 갖추고 있지만, 개인정보 보호 차원에서 정작 활용해야 할 유전자 정보 데이터가 부족해 기술 산업화가 사실상 차단되었다. 향후 중국은 물론 여타 선진국에서와 같이 사생활 침해 우려가 있는 핵심 개인 정보를 제외한 의료 정보들을 바이오산업에서 활용할 수 있도록 허용하는 규제 완화가 필요하다.

필자는 2017년 2월 선전 옌톈구(鹽田區)에 있는 BGI 본사를 방문했는데, BGI는 2018년 가을에 같은 선전 시내 별도의 장소에 현대식 신사옥을 건축해 이전할 예정이라고 했다. 필자가 만난 BGI의 위더젠(余德健) 부사장은 향후 BGI의 중점 연구 방향에 대해 이렇게 말했다. "무엇보다도 유전자 검사에 따르는 비용 절감을 통해 많은 사람이 부담 없이 사용하게 하는 것이 중요하다고 생각합니다. 현재 국제적으로 유전자 검사에 1회당 2,000달러가 소요되는데 반해, BGI는 350달러에 검사를 하고는 있지만 앞으로 100달러 수준으로 비용을 낮추기 위해 노력하고 있습니다. 농업, 식품 등 산업 분야에서의 활용과 관련해서는 우량 종자 개량을 통해 농업생산성을 높여 산출량을 늘리고 건강에 도움이 되는 기능성 식품을 개발해 더 질 좋고 저렴한 가격으로 공급하기 위해 노력 중입니다. BGI에서 개발하는 품종은 GMO(유전자변형)와 달리 인체 위해성 문제를 갖고 있지 않은 우량 품종이므로 안전한 식품 공급원이 될 수 있습니다."

한국과의 협력 가능 분야에 대해 물었을 때 위더젠 부사장은 자신있게 말했다. "한국에서는 태아의 질병 및 기형아 가능성 등을 조기에 발견하기 위한 출산 전 유전자 검사율이 10% 이하로 이 분야에서 한중간 협력 가능성이 높다고 생각합니다. 한국에서는 산모의 양수 검사를 통해 유전자 검사를 하고 있어 위험성이 높은 편이나, BGI에서는 이미 2012년부터 산모의 혈액을 통해 검사를 하고 있어 안전성이 매우 높습니다."

무엇을 어떻게 할 것인가?

필자는 선전 외곽에 소재한 일반 아파트 단지 옆에 나란히 서 있는 화려하지 않은 BGI 본사 빌딩, 그러나 얼마 안 있으면 현대식 신 사옥으로 확장 이전하게 될 BGI 빌딩 현관을 나오면서 스스로 초라해지는 기분을 감출 수 없었다. 필자가 1999년 주 중국 대사관에 부임하면서 주요 임무가 중국의 빈곤 지역을 위해 공적개발원조(ODA)를 나누어주는 일이었다. 바로 그때 베이징 한편에서 중국 청년 과학자 몇몇이 모여 만든 BGI가 지금은 동종 분야에서 세계 제1의 회사가 되어 미래 신성장 산업을 독점할 기세로 성장해온 것이다.

그동안 우리도 철강, 가전에 이어, 조선, 자동차, 휴대전화, 반도체, 디스플레이 산업 등을 주도하면서 힘차게 달려온 것도 사실이다. 그러나 우리의 선배들이 피땀 흘리며 이룩한 실적을 바탕으로 우리는 지난 20년간 스스로 자축하며 샴페인을 터뜨리며 즐긴 것은 아닌지 모르겠다.

중국은 여러 분야에서 이미 한국을 앞섰거나, 거의 따라왔거나, 아니면 목전에서 위협하고 있다. 특히, 제4차 산업혁명의 시대를 맞이해 새로운 산업 분야에서 우리는 더이상 과거와 같은 '패스트 팔로어' 전략이 아니라 '퍼스트 무버'가 되어야 하기에 그 위기감을 더 크게 느끼지 않을 수 없다.

그러나 우리는 여기에서 주저앉을 수는 없다. 중국 경제라고 모든 분야에서 완벽할 수 없다. 중국 경제에도 오랫동안 누적된 문제가 있기 마련이다. 중국 경제의 문제점들을 잘 알고, 한국 정부와 기업과 젊은이들이 다시 분발해 우리가 선진국 문턱에 올 때까지 그동안 축적해온 노하우를 충분히 활용해 추가 경쟁력을 키울 수 있다면 한국에게는 반드시 더 좋은 새로운 기회가 올 것이라고 믿기 때문이다.

제 2 부

중국 경제의 위협

거대한 중국 경제와 깊은 관계를 맺고 있는 한국으로서는 중국 경제의 향배에 따라 한국의 기업과 한국인의 실생활에도 큰 영향을 받지 않을 수 없다. 그래서 자주 차이나 리스크(China Risk)라는 말이 인구에 회자된다. 차이나 리스크는 워낙 중국이 긴축 정책을 펼치거나 여타 이유들로 인해 중국 경제가 어려워지면, 중국 수출 의존도가 큰 기업이나 국가들까지도 위험에 처한다는 말이다. 따라서 제2부에서는 오랜 세월을 통해 중국 경제의 누적된 문제점(積幣)들을 적시하고 그 원인과 현상, 중국 정부의 대처 방안을 살펴볼 것이다. 중국에 진출한 한국 기업이나 한국인들이 이러한 위험(Risk)을 슬기롭게 헤쳐나갈 지혜를 갖기 바란다.

중국은 지난 40년간의 짧은 기간에 국민 생활수준이 최빈국에서 중진국 수준으로 높아졌고, 국가적으로는 G2 반열에 올랐다. 단기간에 고도성장을 거듭하다 보니 이에 따른 부작용도 생겼다. 국가와 당의 보호를 받는 국유기업이 부실해졌고, 급속한 난개발로 부동산 시장이 불안하다.

한 자녀 정책과 생활수준 향상으로 고령화 사회로 접어들면서 노동생산성도 낮아지고 있다. 경제 발전으로 임금이 높아지고, 신산업의 부흥으로 전통 제조업 기반이 취약해졌으며, 지역 및 개인 간 빈부 격차도 심해져 사회적 불안 요소도 증대되고 있다.

국내적으로 뿌리 깊은 부패와 산업 발전에 따른 환경오염 문제도 심화되어왔다. 또한, 2001년 WTO 가입으로 중국 경제가 세계경제에 편입되면서 금융, 외환, 증권 시장 등도 수시로 요동친다. 향후, 중국 정치체제의 경직성에 비추어 중국 경제위기의 핵심은 국민의 생활이 어려워져 사회적 불안이 조성되고, 나아가 이러한 불안 요소가 중국의 지도체제, 즉 공산당에 직접적으로 저항하는 수준으로 발전하느냐 마느냐에 달려 있다 해도 과언이 아닐 것이다.

21세기 중반 G1 국가를 지향하는 중국 정부로서는 1989년 톈안먼사태와 같은 상황을 용인할 수 없다. 이를 위해 중국 정부는 지난 30년간 일정 수준의 경제성장을 통해 사회적 안정을 도모할 수 있는 고용 유지가 필요했다. 중국 정부는 이를 성공적으로 달성할 수 있었고, 사회적 안정도 동시에 이룰 수 있었다. 그러나 2010년대 들어 지속적으로 7%씩 성장하는 것이 어려워졌다. 2016년에는

6.7% 성장, 2017년 상반기에 6.9% 성장하면서 7% 성장이라는 마지노선(바오치[保七])이 붕괴된 것이다.

이에 따라 중국 정부는 지속적인 성장을 통해 사회 안정을 이룰 수 있을지 긴장하고 있으며, 이제는 한계에 부딪힌 양적 성장보다는 의료 및 사회보장 확충이나 복지정책 시행을 통한 질적 성장과 창업과 혁신을 통한 새로운 일자리 창출을 통해 국민의 불만 해소에 역점을 두기 시작했다.

오랜 기간 중국의 미래에 대한 국제 정치·경제계의 전망은 항상 논쟁이 되어왔다. 서구 경제학자들은 최근 중국 경제의 성장 둔화 추세는 언젠가 실업 문제와 빈부 격차 심화로 이어져 중국 경제는 물론 국가 체제에 커다란 도전 요인이 될 것이라고 전망한다. 반면 중국 정부와 학자들은 중국 경제가 아직 일반적인 경제위기 발생 조건(마이너스 성장, 기업 수지 적자, 부동산 버블로 인한 금융기관 도산, 외환 유출에 따른 외환 보유고 급감)에 전혀 근접하지 않았고, 1990년대 이후 소위 잃어버린 20년의 일본 현상(부동산 대폭락, 주식시장 붕괴, 통화가치 폭락)도 나타나지 않았으며, 2008년 미국 금융위기를 가져온 서브프라임과 같은 금융 파생 상품 시장이 중국에는 거의 없다고 분석하며, 중국에서 경제위기, 즉 차이나 리스크는 앞으로 발생하지 않을 것이라고 주장한다.

그러나 어느 나라 경제나 취약점이 있게 마련이고, 그 취약점을 잘 관리하지 못할 경우는 블랙 스완이 나타나 생각지 못한 위기가 전개될 가능성은 늘 있다. 1970년대 말 개혁개방 이래 지금까지 중국은 나름 성공적으로 국가를 운영해왔다. 그렇다고 반드시 미래의 중국이 성공한다고 말할 수는 없다. 다시 말해 중국의 미래는 정해져 있는 것이 아니고, 중국 지도자들이 앞으로 어떻게 국가를 운영해나가는지와 국민이 얼마나 지속적으로 노력하느냐에 달려 있다고 할 수 있다.

우리는 중국 경제의 구조와 관행이 한국 기업에 주는 애로사항에 대해서도 잘 파악하고 있어야 한다. 과거부터 자주 이야기되어왔던 각종 비관세 조치도 그렇고, 2016년 7월 한국의 사드 배치 결정 이후 중국의 여러 보복 조치는 새로운 형태의 차이나 리스크임이 틀림없다. 중국에서 빈번이 볼 수 있는 지적재산권 침해도 중국 시장 진출을 생각하고 있는 한국 기업들에는 각별한 주의를 기울여야 하는 리스크임이 틀림없기에 이러한 현상에 대해서도 살펴보기로 한다.

본격적으로 차이나 리스크의 여러 가지 요소를 살펴보기 전에 한 가지 덧붙이고 싶은 것은 우리가 중국을 이해할 때는 늘 복합적인 시각을 가져야 한다는 것이다. 중국은 영토가 넓고 인구가 많다. 또 역사적으로도 오랜 세월을 통해 다양성과 유연성을 지닌 국가이기에 제1부에서 본 중국의 위협 요소나 제2부에서 볼 중국의 위험 요소 중 그 어느 하나가 중국 전체를 지배할 수 없다는 사실을 인식하고 이해해야 한다.

중국의 DJI 드론이 세계 시장에서 1위를 차지한다고 해서 중국이 모든 분야에서 1위가 아니듯, 중국의 부채가 문제라고 해서 중국 전체가 위험한 것은 아니다. 중국은 대국(大國)이다. 즉, 중국에 이런저런 문제가 있으니 곧 큰 일이 생길 것이라든지, 미래가 부정적일 것이라는 식의 단순한 생각을 해서는 안 된다는 말이다.

1 부실 국유기업과 과다 불량 채권

무한 경쟁시대의 단웨이

"동물은 자연 속에서 살고, 인간은 문화 속에서 산다"는 말이 있다. 그만큼 인간에게 문화는 공기와 같다. 각 지역의 문화도 역사와 환경에 따라 다양성과 차별성을 갖는다. 중국 문화와 서양 문화를 비교해보면 양자의 기본적인 차이는 서양 문화가 개인주의를 기반으로 하는데 반해, 중국 문화는 단체주의에 기반을 두고 있다.

1949년 신중국 성립 이후 자주 사용하던 말이지만, 지금도 중국에 가면 '단웨이(單位)'라는 말을 곧잘 듣는다. 단웨이는 직장이나 소속을 의미한다. 그러나 개혁개방 이전의 단웨이는 그저 먹고사는 것만을 해결해주는 직장이 아니라 자녀 교육, 관혼상제, 퇴직 이후의 삶 등 모든 소속 직원의 평생과 그 가족까지 책임져주는 울타리를 의미했다.

현재 단웨이는 개혁개방 이전의 원래 의미가 점차 사라지고 있지만, 중국은 단체 의식을 중시하는 문화이기에 지금도 곳곳에 단웨이 정신이 남아 있다. 특히, 단웨이 문화는 주로 국유기업에 많이 남아 있는데, 구성원들의 대소사를 해결해주는 이러한 국유기업들이 21세기 무한 경쟁시대에 경쟁력을 지속적으로 유지하기란 쉽지 않을 것이다.

국유기업 부실의 역사

중국에서 국유기업의 개혁 문제는 사실 어제오늘의 일이 아니다. 1차적으로는 덩샤오핑의 1.0시대(1978~1992)로 일부 중소형 국유기업의 민영화를 시도하고, 이윤유보제 및 도급경영책임제를 도입했다. 다음은 주룽지(朱镕基)의 2.0시대(1993~2003)로 적자 및 부실 국유기업 통폐합과 폐쇄 등 대대적인 개혁을 추진했고, 약 10년간의 공백 기간을 거쳐 현재는 시진핑의 3.0시대(2013~현재)로 국유기업 개혁의 심화 추진 단계에 와 있다고 할 수 있다.

특히, 1990년대 들어 중국공산당은 국유기업의 부실이 경제 효율성 측면에서 문제라고 인식했고, 당시 주룽지 총리는 강력한 국유기업 개혁을 부르짖었다.

사실인지 아닌지 확인되고 있지는 않지만, 주룽지 총리는 1990년대 말 국유기업 개혁을 주도하면서 부하 직원들에게 "100개의 관을 준비하라. 그중 99개는 부패 공직자의 것이고 나머지 1개는 자신의 것이다"라고 말했다고 한다. 주룽지 총리는 자신도 죽을 각오로 개혁을 하겠다는 강력한 의지의 표현이었다고 한다. 또 한편으로는 중국공산당과 관련된 기득권 세력이 지배하고 있는 국유기업의 개혁이 얼마나 복잡하고 어려운 과제인지를 대외적으로 말해주고 있는 것이기도 하다.

중국 지도자들은 퇴임 후에 자신의 모습을 거의 보이지 않는 관습이 있다. 1998~2003년간 총리를 지낸 주룽지도 퇴임 후 칩거생활을 하다시피 했다. 2013년 언론 보도에 의하면 주룽지는 자신이 발간한 2권의 저서에서 나오는 출판 인세 2,398만 위안(40억 원) 전부를 어려운 학생들을 위한 자선기금으로 쾌척하는 등 선행을 하여 재임 시와 마찬가지로 여전히 중국 인민의 존경을 받고 있다고 한다.

당시 주룽지 총리의 국유기업 개혁 노력이 어느 정도 결실을 거둔 것은 사실이다. 그러나 2001년 11월 중국의 WTO 가입 이후 세계경제의 호황과 중국 경제의 급속한 확대 흐름 속에 묻혀 국유기업 개혁과 긴축 기조가 흐지부지해지고 말았던 것도 사실이다. 그 결과, 약 10년이 지난 2010년을 정점으로 하여 국유기업의 수익률이 오히려 악화 일로에 있었다. 오랜 동안 누적되어온 국유기업의 부실은 향후 금융권의 부실로 이어질 가능성이 있기에 앞으로 중국 경제의 최대 리스크로 부각되고 있다.

중국 내 국유기업과 민영기업의 변화를 살펴보면, 2000년에 국유기업이 5만 3,489개에서 2015년 1만 9,273개로 크게 축소된 반면, 민영기업은 같은 기간 중 2만 2,128개에서 21만 6,506개로 대폭 증가했다. 공업생산총액에서는 국유기업이 차지하는 비중이 1994년 61%에서 2014년 22.4%로 감소한 반면, 민영기업이 차지하는 비중은 1994년 0.2%에서 2014년 34.3%로 대폭 약진했다(국유기업 및 민영기업 이외의 생산은 외자기업의 생산). 그러나 2015년 총자산 규모에서는 여전히 국유기업의 총자산이 39조 7,404억 위안(전체의 약 40%)으로 민영기업의 22조 9,006억 위안을 크게 상회하고 있다. 총자산 수익률에서도 민영기업이 10.59%인데 비해, 국유기업은 2.87%에 불과한 상황으로 그만큼 국유기업 개혁의 필요성이 제기되고 있다.

이에 따라 시진핑 정부는 최근 낮은 원자재 가격과 포화된 세계시장의 영향으로 이익을 못 내고 있는 철강, 석탄, 전력 분야의 국유기업에 대해 '공급측 구조개혁'의 기치하에 구조 조정을 우선적으로 추진하고 있다.

그 밖에 석유, 가스, 철도, 통신, 항공, 군 관계 산업 역시 국유기업이 많아 소유권 개혁 등을 포함한 구조 조정을 가속화하고 있다. 특히, 과잉설비와 과잉지출 때문에 경제적 논리로는 도저히 살아남을 수 없는 기업이지만 정부나 국영 은행의 지원으로 살아남아 연명하고 있는 기업, 즉 좀비(zombie) 기업의 퇴출을 위해 노력하고 있다.

과다 불량 채권

중국에서는 주요 기업이나 주요 은행도 대부분 국유이다 보니, 국유기업의 부실은 일반적으로 과도한 신용 확대를 유발해 기업 부채의 빠른 증가로 이어지는 문제를 안고 있다.

국제신용평가사 무디스(Moody's)는 2016년 5월 중국 국유기업은 레버리지 비율이 높아 조만간 중국 신용시장에 큰 도전이 될 것이라고 경고했다. 2017년 5월에는 한발 더 나아가 부채 확대 및 경제성장 둔화 우려를 이유로 중국의 국가신용등급을 Aa3에서 A1으로 한 단계 하향 조정했다. 무디스는 중국 국가신용등급을 한 단계 낮추면서 중국의 차이나모바일, 중국해양석유화학, 중국석유화학 등 25개 대형 비금융 국유기업 및 농업은행, 인수보험, 중국인민재산보험 등 8개 금융기관에 대한 평가등급도 하향 조정했다.

중국의 정부, 가계, 기업의 전반적인 부채 비율은 국내총생산의 약 260% 수준(미국 약 250%, 일본 390%)인데, 이는 2008년 세계 금융위기 이후 경기부양 목적의 정부 투자 확대에 주로 기인한다. 이것은 부동산, 조선, 철강 등 공급 과잉 업종에 집중되고 있으며, 대부분이 국유기업에서 발생한 부채(GDP 대비 약 170%)라는 것이다.

더욱이 문제는 중국의 기업 부채 가운데 GDP의 20~25% 규모에 달하는 부채에 대해서는 적극적인 구조 조정이 불가피하며 이로 인해 불량 대출(NPL: Non-Performing Loan) 비율이 급증하고 있다는 점이다. 우려되는 것은 최근 기업 부채 현상이 국유기업에 그치지 않고 점차 민영기업으로 확산되는 추세에 있다는 것이다. 이에 따라 어려운 경제 상황하에서 새로운 투자가 이루어지지 않고 만기가 되어 돌아오는 부채를 막기 위해 오히려 지하경제가 동원되는 등 부작용이 생기고 있다.

이는 나아가 불가피한 구조 조정으로 대량 실업에 따른 사회적 문제가 발생할 가능성이 크고, 기업 도산은 지방정부의 재정 악화로 연결될 가능성이 크기 때문에 중국 경제의 최대 위험 요인으로 지목

되고 있다. 또한, 노령화 속도가 빨라지고 투자 부진이 계속되는 과정에서 중국 정부가 경제성장률 목표치(6.5%)를 달성하기 위해 향후 정부가 통제할 수 있는 국유기업을 대상으로 대출 확대 등 경기 부양 정책을 계속 펼칠 수밖에 없는 상황이 된다면, 결국 중국의 부채 비율은 더욱 심각해질 수 있다.

이러한 위기 예측에 대해, 중국 학자들은 부채 문제는 1997년 아시아 금융위기나 2008년 세계 금융위기와는 비교할 수 없는 것이라고 한다. 중국의 부채는 대부분 위안화 자산 기반이고, 중국의 금융은 국유은행 중심(은행 총자산의 50% 이상 차지)으로 운영되고 있어 정부가 자본 확충이나 별도로 수익을 확보해주기 위한 다양한 조치를 취할 수 있으며, 실제 운영에서도 높은 수익을 내고 있다고 한다. 또한, 중국 정부(중앙정부 및 지방정부)의 부채 비율은 GDP의 40% 수준으로 미국 100%, 일본 270%, EU 60% 등 여타 주요국 및 신흥 국가보다도 낮은 수준으로 리스크 통제가 가능하다고 한다.

중국의 불량 대출도 최근 수년간 지속적으로 늘고는 있지만, 2016년 말 현재 1조 9,800억 위안으로 총 대출의 1.74%에 불과해서 국제 기준에 비교해보면 아직 불량 채권율이 낮은 상태다.

중국의 외환 보유고(2017년 말 현재 약 3조 1,000억 달러) 역시 충분해 중앙정부의 통제 범위 내에 있다는 항변도 한다. 그러나 이러한 중국의 주장에도 현재 금융시장의 불안은 그림자 금융, 지방정부의 부채, 부동산 시장의 거품, 구조 조정의 지속적 필요성 등 여러 요인과 복합적으로 연계되어 있는 만큼 세심한 관찰이 필요하다.

공급측 구조개혁

경쟁력이 없는 기업이나 상품은 시장 메커니즘에 의해 자연스레 도태되기 마련이다. 그러나 중국의 대형 국유기업은 시장의 성패와 관계없이 계속 존재해왔다. 국유기업은 국가와 통하고, 국가는 공산당과 연계되어 있다. 그래서 중국공산당은 2015년 중반 이후부터는 이러한 관행을 타파하고, 중국 경제의 연착륙을 위해 공급측 구조개혁, 즉 국유 좀비 기업의 퇴출, 철강·석탄 및 제지 분야 등 과잉설비 해소에 역점을 두고 있다.

1980년대 미국 레이건 대통령 시절 공급의 경제학을 기반으로 한 레이거노믹스가 시행되었다. 레이거노믹스나 중국의 공급측 구조개혁은 모두 경제의 공급 측면을 자극하는 정책이다.

그러나 레이거노믹스는 감세와 규제 완화를 통해 기업 투자를 확대해 경제를 활성화시키는 정책인데 반해, 중국의 공급측 구조개혁은 과잉생산 설비를 축소하고, 혁신을 통해 경쟁력을 강화한다는 측면에서 차이가 있다.

중국은 철강 산업에서 세계 철강 생산량의 50%를 차지하고 있는데, 13.5 규획 기간(2016~2020) 중 세계 철강 생산 능력의 5%에 해당하는 약 1억 2,000만 톤의 설비 규모 축소를 목표로 하고 있다. 석탄 생산 역시 세계 생산량의 절반을 차지하고 있는바, 중국 정부는

2016년에 석탄업체 조업 일수를 연간 330일에서 276일로 제한하면서 생산 능력을 16% 감축했다.

중국 정부가 기존의 수요 진작을 통한 경기 부양 정책에서 공급측 구조개혁으로 전환한 배경에는 2008년 세계 금융위기 이후 4조 위안 이상을 투입해 수요 진작을 추진했으나 그 효과가 2년만에 끝이 나고, 이후 과잉생산 구조는 오히려 중국 경제에 부담으로 작용했다는 현실적 경험과 이에 대한 반성에서 비롯되었다고 볼 수 있다.

다시 말해 공급측 구조개혁 정책이란 과거 투자, 소비, 수출 등 수요 측면의 정책 우선에서 생산 요소의 공급과 효율적인 이용을 우선하는 정책 전환을 의미한다. 과거 공급측 구조개혁을 소홀히 한 결과 중저가 제품의 과잉생산과 전통산업의 생산 설비 과잉 문제를 낳았다고 보고, 이를 통해 자원 배분의 비효율성을 제거하고 생산 요소가 효율적이고 원활하게 이용될 수 있도록 하겠다는 것이다.

중국 정부는 공급측 구조개혁의 수단으로 5대 과제를 내세웠다. 첫째, 철강, 석탄, 화력발전 업계의 과잉 생산설비를 해소하고, 둘째, 3~4선 도시의 부동산 재고를 해소하고, 셋째, 기업 부채율 감소 등 과도한 레버리지를 최소화(Deleveraging)하고, 넷째, 기업의 원가를 절감하고, 다섯째, 빈곤 퇴치 등 취약점을 보완하고 유효 공급을 확대하는 것이다.

중국말로 요약해서 말하면 “세 가지를 해소하고 하나를 낮추고 다른 하나를 보완(三去一降一補)”한다는 것이다.

2017년 7월 중국 국무원 국유자산감독관리위원회의 보고서에 의하면, 중국 정부의 국유기업 개혁 정책에 힘입어 2017년 상반기 중앙 국유기업의 평균 영업 수익과 이윤이 최고치를 갱신했다고 발표했다. 중앙 국유기업의 법인 수가 전년 동기 대비 11% 감소하고, 감소 기업 가운데 87%는 실적이 좋지 않아 인수합병 및 구조개혁이 추진되었으며, 나머지 석유와 석유화학, 전력과 전력망, 석탄, 항공 등 102개 중앙 국유기업 가운데 99개 기업이 수익을 창출했다고 밝혔다.

혼합소유제 개혁

중국 정부는 국유기업 개혁의 일환으로 2016년부터 '중앙 국유기업 혼합소유제 개혁'을 시범적으로 시행하고 있다. 이는 전력, 석유, 천연가스, 철도, 항공, 통신, 군수산업 등 7대 국유기업 독점 영역에서 2016년에는 9개 국유기업을 대상으로, 2017년에는 10개 국유기업을 대상으로 혼합소유제 시범 개혁을 실시하는 것이다. 혼합소유제 개혁이란 국유 자본과 민간 자본 간의 교차 지분 보유를 허용하는 '혼합소유제 경제'를 말한다.

민간 자본이 국유기업 개혁에 참여토록 하고, 국유 자본을 투자·운영하는 회사가 발전 잠재력과 성장성을 갖춘 민영기업에 지분 투자를 하도록 하며, 국유기업 직원의 자사 지분 보유를 허용하는 것을 핵심으로 한다.

차이나유니콤(中國聯通), CNEC(中國核建), 둥팡항공(東方航空), 중국선박(中國船舶), 하얼빈전기그룹(哈電集團), 난팡전력망(南方電網) 등이 현재 개혁 시범 대상기업으로 선정되어, 증자 및 지분 양도 등을 통해 민영기업 및 임직원으로 하여금 자사 지분을 보유할 수 있도록 개혁을 추진하고 있다.

차이나모바일, 차이나텔레콤과 함께 중국 3대 통신사 중 하나인 차이나유니콤의 사례를 보면 텐센트, 바이두, 징둥, 알리바바 등 민영기업들이 정부 정책에 호응해 대거 지분(총 약 35%) 투자를 결정하기로 하는 등 국유기업 혁신에 시동을 걸기 시작했다. 그러나 실제로는 국유와 비국유 간의 혼합소유제라기보다는 국유기업(중앙과 지방) 상호간 지분 거래 형식이 더욱 보편적으로 나타나고 있어, 국유기업에 대한 국가 지분이 51%를 상회하는 구조를 근본적으로 바꾸기는 힘든 것이 현실이다.

차이나유니콤은 민영기업의 투자 결정으로 대주주인 롄퉁(聯通)그룹의 지분이 30%대로 낮아졌지만, 아직도 다른 국유기업들의 지분을 합하면 전체 국유기업의 지분은 60%를 상회한다. 또한, 국유기업이 민영기업에 대해 지분 보유를 허용하는 부문도 물류와 서비스 등 비핵심 산업 부문이 많아 핵심적인 국유기업의 실질적인 지배구조를 개선하는 데는 한계가 있다는 평가다.

게다가, 국유기업에는 중국공산당 조직이 경영진에 자리 잡고 있으며, 최고 서열에는 당에서 파견 또는 임명한 당 서기가 있다. 기업이 아무리 이사회의 권한을 확대하고 전문 경영인을 투입해도 현실적으로 기업의 주요 결정에서 당 서기의 관리 감독을 벗어나기 힘든 것이 현실이다.

현실이 이렇다 보니 최근 중국 정부의 국유기업 개혁은 제도적 개선보다는 오히려 중앙 국유기업의 인수합병을 통해 국가의 대표적인 기업, 나아가 세계 최대의 기업을 양성하는 방향으로 추진되고 있다. 현재 중국의 중앙 국유기업 수는 약 100개이며, 2016년에는 바오산(寶山)철강과 우한(武漢)철강 간 합병으로 바오우(寶武)철강과 같은 초대형 국유기업이 탄생하기도 했다. 에너지, 우주항공, 통신, 식량, 인프라 등 국가 기간산업에서 국유기업 수는 감소하고 있지만, 그 영향력의 배후에는 여전히 공산당이 있다. 이것이 바로 국유기업 개혁의 근본적인 어려움이다.

2 부동산 시장 양극화와 버블의 위험

중국인의 주택 소유 의식

중국에는 '安家落戶(안자뤄후: 가정을 꾸리다, 정착해 살다)' 또는 '安居樂業(안쥐러예: 집이 있어야 일도 즐겁게 할 수 있다)'라는 말이 있다. 중국인들도 우리와 마찬가지로 전통적으로 '집=가정'으로 집에 대한 소유 의식이 강하다.

얼마 전까지 중국의 한 자녀 정책에 따라 남아(男兒) 선호 사상으로 성비 불균형 현상이 발생하면서 남성이 여성 배우자를 찾기가 어려운 상황이 되었다. 이에 따라, 남성이 결혼을 하기 위해서는 주택 마련이 결혼의 필수 조건이 되는 사회적 분위기가 형성되었다. 그래서 젊은이들의 주택 소유 의지가 매우 높아졌다.

지난 20년 동안 중국인들의 소득 수준이 높아지면서 깨끗하고 새로운 주택을 소유할 목적으로, 혹은 개인의 소유 주택에 대한 제한이 있기 전까지는 잉여 소득으로 투자를 할 목적으로 주택을 여러 채 사기도 했다. 주요 도시에서 토지나 집을 사면 무조건 올랐기 때문이다. 요즈음은 주택 구입시 거주지 제한, 주택수 제한 등 각종 제한 조치가 나오고 있지만 여전히 편법이 횡행하고 있다.

2017년 4월 초 중국 정부는 베이징 수도권의 과밀화 현상과 공해 문제 해소를 위해 선전과 상하이에 이어 제3의 국가급 특별경제구역을 베이징의 서남쪽 100km 지점인 슝안(雄安)에 건설할 계획이라고 발표했다. 이 계획이 발표되자 전국의 투기꾼들이 조용한 소도시에 갑자기 몰려들어 집값이 며칠 사이에 3배까지 오르는 등 난장판이 되었다. 이에 중국 정부는 곧바로 이 지역에서 모든 주택 거래를 금지하고, 하루이틀 사이에 765건의 부동산 거래 위반 사례를 적발하고, 거래 금지를 위반한 71개 부동산중개소에 대해서는 폐쇄 조치를 취했다고 한다.

슝안신구뿐 아니다. 중국에는 그동안 많은 도시에서 엄청난 규모의 신도시 개발을 추진했다. 물론 성공한 경우도 많았으나 실패도 많았다. 약 10년 전에 톈진에 빈하이(賓海)신구 건설을 발표했으나 아직 착수되지 않고 있으며, 보하이만(渤海灣) 인접 환경도시인 차오페이뎬(曹妃甸) 프로젝트도 실현되지 못하고 있다.

중국 정부가 도시화 정책을 적극 추진하고 있어 앞으로도 신도시 건설 사업이 진행될 것이다. 일부 비판적인 중국인들은 공무원들이 재임 중에 엄청난 규모의 중장기 계획을 그럴듯하게 발표하고 자신은 이에 대한 공적을 인정받아 다른 곳으로 승진해 자리를 옮긴다고 한다.

그 후임 공무원들은 그 사업이 자신이 시작한 일이 아니므로 적극적으로 추진하지 않게 되어, 중국 지방의 신도시 사업은 대부분 실패하는 경우가 많다고 한다. 물론 슝안신구 건설 사업은 시진핑 주석이 관심을 갖고 추진하는 사업이라 쉽게 중단되지는 않을 것이다.

부동산 시장의 양극화 현상

최근 중국 경제의 성장이 다소 둔화되고 있는 가운데서도, 주요 도시 70개 가운데 60여 개 도시의 부동산 가격은 크게 상승했다. 특히, 베이징, 상하이, 광저우, 선전 등 1선 도시(정치, 경제, 사회 등 다방면에서 중요한 지위와 역할을 하는 대도시를 말한다. 공개된 기준이 있는 것이 아닌 비학술적인 개념으로 언론 및 전문가들이 편의상 사용하면서 널리 쓰이게 된 용어다. 대체로 도시발전 수준, 종합적인 경제력, 국제경쟁력, 과학기술혁신능력, 1인당 소득 등을 기준으로 구분한다. 현재 중국 내 1선 도시는 베이징, 상하이, 광저우, 선전, 1.5선 도시로 충칭, 항저우, 난징, 톈진, 시안, 무안 등, 2선 도시는 다롄, 칭다오, 지난, 샤먼 등, 3선 도시로 장춘, 쿤밍, 하얼빈, 둥관, 원저우 등이다)의 부동산 가격 상승률이 2선 도시를 능가하고, 2선 도시는 3선 도시를 능가하는 등 부동산 시장이 점차 거품 현상을 보이고 있다.

지난 10년간 많은 지방 도시에서 우후죽순으로 건설된 주거 단지에는 빈집이 상당수에 이르는 등 향후 어떻게 이 많은 주택을 소화할 수 있을지 예상하기 힘든 상태다. 즉, 1~2선 도시의 부동산 가격은 급등하는 반면, 3~4선 도시에서는 미분양 주택이 늘어 부동산 재고가 지속되는 양극화 현상이 심화되고 있어 더욱 문제가 크다. 우리가 1990년대 초 일본의 부동산 시장의 거품이 꺼지는 과정을 보았듯이 부동산 시장의 붕괴는 국유기업의 부실과 함께 금융시장의 붕괴 및 장기 침체로 이어질 수 있는 만큼 중국 경제에서 폭발성을 지닌 위험 요소다.

앞서 언급했듯이 젊은 남성들이 결혼에서 경쟁력을 갖기 위해 주택을 소유하려 하고 있으나, 도시에서의 부동산 가격 급상승은 '벌거벗은 결혼(裸婚)'이라는 신조어를 만들어내기에 이르렀다. 집, 자동차 등이 없는 상태에서 결혼식마저 생략하고 결혼 증서만 발급 받아 새 가정을 이루고 사는 지극히 소박한 결혼을 말한다. 최근 중국의 높은 집값과 물가 등의 현실을 잘 반영한 말이다.

부동산 시장 거품의 위험

부동산 시장 과열의 폐해는 금융위기 초래 가능성 외에도 풍부한 유동성이 부동산 시장에만 몰리고 제조업 등 실물 경제로는 흘러가지 않는다는 '유동성 함정'의 부작용도 우려된다.

부동산 시장이 활황을 보이면 철근 사용량 증가, 노동 임금 증대, 고용 확대 등으로 소비를 유도해 어느 정도의 GDP 성장을 지지하기는 하지만, 그 이상의 부작용도 충분히 우려되기 때문이다. 중국은 전체 주택 구입자의 20%가 투기 목적이고, 특히 주요 도시의 핵심 지역만을 보면 절반 이상이 투기 목적으로 분류된다.

부동산 개발업자들은 이 투기자들을 바라보고 은행 대출을 늘려가면서 주택을 개발함에 따라, 결과적으로 다시 부동산 가격이 오르면서 자연히 거품이 생기게 된다.

주요 도시에서는 한 가정당 구매 주택수에 제한이 있어 이를 피하기 위해 위장 이혼을 하는 경우마저 생긴다. 집을 구입하기만 하면 오른다는 생각에서 멀쩡한 부부가 위장으로 이혼해 집을 각각 구입한 후에 재혼해서 함께 사는 경우도 있다.

실제로 중국 CCTV(중국 국영 TV 방송국)는 2017년 3월 상하이의 어느 부동산 중개인이 외지 고객들이 집을 살 수 있도록 고객들과 네 차례 위장 결혼과 이혼을 반복한 적이 있다고 보도했다. 결혼하고 이혼한 고객 중에는 70세 여성도 있었다고 하니 돈을 벌기 위해 이들이 얼마나 필사적인지를 잘 보여준다.

2017년 6월 중국 정부의 발표에 의하면 베이징, 상하이, 광저우, 선전 등 1선 도시 부동산 거래와 가격은 모두 2017년 들어 뚜렷한 냉각 기미를 보이기 시작했다고 한다.

1선 도시들의 부동산 가격이 하락세로 돌아선 것은 2008년 세계 금융위기 이후 처음 있는 일이다. 이를 두고 중국 정부는 부동산 버블 대책(선도금 비율 확대, 외지 호적자 구입 제한, 부동산 대출 제한 등)으로 정부가 취한 강력한 규제 정책의 효과가 나온 것이라고 평가하는 반면, 일부에서는 부동산 버블 붕괴가 시작된 것이 아니냐고 우려하기도 한다.

부동산 시장 과열의 배경

중국 부동산 시장의 과열은 2000년 이후 계속되어왔으나, 최근 급속하게 과열된 배경에는 2015년 주식시장의 거품이 꺼지기 시작한 시기와 때를 같이한다. 중국 경제가 과거와는 달리 10%대 성장에서 6%대 성장으로 하락하면서 주식시장도 상하이종합지수가 2015년 6월 5,100을 정점으로 하락 추세로 전환되어 2017년 7월 현재 3,000대 초반으로 떨어졌다. 이에 따라 그전 주식시장의 열풍이 부동산 시장으로 옮겨와 거품을 만들고 있다는 것이다.

부동산 과열의 배경에는 주식시장 붕괴에 따른 유동성의 이동 외에도 경기 불황으로 일부 기업들이 힘들게 사업을 영위하기보다는 부동산 매매를 통한 이윤 창출로 매진하는 경향이 있기 때문인 것으로 밝혀졌다. 잘만 투자하면, 1년에 부동산 가격이 2~3배까지 오르기 때문이다. 실제 2016년 한 해 동안 필자가 거주하는 광둥성 광저우, 선전, 주하이 등지의 아파트 값이 그만큼 올랐다.

또 다른 이유는 정책적 측면인데, 최근까지 중국 정부가 방만한 은행 대출을 통해 부동산 투자를 촉발해 경기 부양을 용인했던 것이다. 중국 인민은행 통계를 보면, 은행 대출의 25%는 부동산 구입에 쓰이고 있다. 위안화 신규 대출 중 주택 담보대출이 대부분을 차지하는 중장기 가계대출 비중이 2016년 1분기 23%에서 3분기에는 60%로 급증했다. 중국은 2015년 10월 금리를 자유화하고, 개인간(P2P) 대출과 같은 핀테크 규제를 최소화하면서 부동산 거품을 키워온 것이라고 할 수 있다. 이에 따라, 중국 정부는 최근에 들어서서 "부동산은 주거용이지 투기용이 아니다"라고 강조하면서 뒤늦게 부동산 구매를 제한하거나, 대출을 제한하거나, 대형보다는 중소형 주택 공급을 확대하는 등의 대책을 마련하고 있다.

부동산 시장 전망

앞서 언급한 대로 2017년 들어 1선 도시를 중심으로 부동산 가격이 진정 또는 하락 기미를 보이고 있다. 지나친 가격 상승에서 오는 일시적 멈춤 현상인지 거품의 붕괴 조짐인지는 향후 추이를 더 지켜보아야 한다. 부동산 시장의 거품이 꺼지는 경우는 과거 일본과 같이 중국에서도 잃어버린 20년을 가져올 가능성도 있다. 이는 기업부채가 늘고, 민간투자가 위축되며, 수출이 축소되는 등 전반적인 중국 경제의 위기 조짐을 보이는 것과도 궤를 같이하기 때문이다.

부동산 가격은 은행의 자산관리 상품, 지방정부의 수익성과 직결되는 문제로 지속적인 하락은 중국 경제 전체에 미치는 영향이 다대(多大)하다. 중국 「증권일보」에 의하면, 2017년 상반기에 A주(내국인 전용) 상장 136개 부동산 업체의 총 부채액이 5조 6,000억 위안(970조 원)을 넘어 전년 동기 대비 30% 급증했다. 문제는 부채 증가율이 자산 증가율(총 자산은 7조 1,000억 위안으로, 전년 동기 대비 27% 증가)을 상회하고 있어 부동산 시장의 위기 가능성을 보여주고 있다는 것이다.

그러나 중국 학자들은 부동산 문제는 아직 위기가 아니라는 반론을 펼치고 있다. 그들의 주장은 다음과 같다. 미국의 서브프라임 모기지 사태와 같이 서구 경제에서 부동산 문제는 이자율 상승이 대출자들의 상환 능력 하락과 부동산 가격 하락으로 귀결되고, 그 결과 은행이 파산하는 악순환에 빠져 위기를 맞게 되었다. 하지만 중국은 첫째, 주요 은행이 대부분 국유은행으로 절대 파산하지 않을 것이며, 둘째, 중국 정부가 국민들을 위해 부동산 시장의 붕괴를 결코 용인하지 않을 것이며, 셋째, 중국인들은 결혼해 가정을 꾸릴 때 주택 소유 의식이 강해 주택에 대한 수요는 지속적으로 증가할 것이기 때문이다.

실제로 중국 정부는 주택 구입자의 과다한 대출을 제한하기 시작했으며, 엄격한 보증금(down-payment) 규정으로 주택 구입시 상당 부분은 자기 자금으로 충당하고 있어 설사 주택 가격이 떨어진다고 하더라도 중도에 은행에 저당 잡혀 주택에서 쫓겨나지 않는 구조가 형성되어 있다. 이에 따라, 아직까지는 중국에서 다른 나라가 겪은 유사한 부동산 위기를 초래하는 주택 가격이나 담보물의 가치 하락 현상이 나타나고 있지는 않다. 또한, 중국의 도시화율이 일본, 한국 등 주변 국가보다 낮은 수준이기 때문에 주택에 대한 수요가 늘어날 여유가 충분히 있다고 전망한다.

3 고령화 사회와 노동시장의 변화

인구 고령화 현상

중국의 인구 고령화 현상이 점차 심각한 수준에 이르고 있다. 중국은 2001년에 이미 총 인구의 7%가 65세 이상인 고령화 사회(Aging Society)에 진입했다. 2015년 2월 중국 정부가 발표한 '통계공보'에 의하면, 65세 이상 인구가 1억 3,755명으로 그 비중이 10.1%에 달했다. 이러한 추세로 나간다면, 2025년을 전후로 해서 65세 이상 인구가 전체의 14%를 차지하는 고령 사회(Aged society)에 진입할 것으로 예상된다. 또한 2035년경에는 65세 인구가 전체의 20%를 넘는 초고령 사회(Super-Aged Society)에 진입하고, 2050년에는 65세 이상 인구 비율이 현재 일본 수준인 27.6%에 달할 것으로 예측된다(유엔이 정한 기준에 의하면, 65세 이상 인구가 7%를 넘으면 고령화 사회, 14%를 넘으면 고령 사회, 20%를 넘으면 후기 고령 사회[Post-Aged Society] 또는 초고령 사회라고 부른다. 이에 따르면 현재 중국은 고령화 사회이고, 한국은 14%를 갓 넘어 고령 사회이며, 일본은 이미 25%를 넘어 초고령 사회에 해당한다).

중국의 인구 고령화 문제는 중국 경제의 지속적인 발전을 저해하는 심각한 문제가 될 것이다. 지금 당장의 문제는 아니지만 다른 국가에 비해 빠른 속도로 고령화 문제가 심화되고 있기 때문이다. 중국의 급격한 인구 고령화에 따른 젊은 층의 노인 부양 비율 증가는 향후 저축률을 감소시켜 경제성장 역시 위축될 것이다.

중국의 인구 고령화 문제는 전국적인 현상이나, 그 영향은 성·시별로 큰 차이가 있다. 예를 들면, 광둥성은 출생률(약 1.0)이 낮으나 일자리를 찾아서 온 농민공(農民工: 도시로 이주해 노동자의 일을 하는 농민을 가리키는 말)의 유입으로 노령층 연금 대상자 1명을 지원하는 인구가 전국 평균인 2.9명의 3배가 넘는 9.7명으로 매우 건전한 인구 구조를 갖고 있다. 반면, 동북 3성은 출생률(1.0 이하)도 낮고 농민공의 유입도 없어 연금 대상자 1명을 지원하는 인구가 1.3~1.8명에 불과해 심각한 인구 구조를 갖고 있다. 또한, 인구 고령화로 인한 인건비 상승과 사회보장제도 확충은 중국 노동시장의 구조적 변화를 가져올 것이다.

이에 따라, 중국 정부는 1970년 말부터 유지해오던 '한 가정 한 자녀 갖기 정책'을 2016년에 철회하고, '한 가구 두 자녀 허용 정책'을 채택했다. 그동안의 4-2-1(양가의 조부모 4인, 부모 2인, 본인 1인)의 역(逆)피라미드형 가족 구조는 인구 저출산·고령화를 가속화하여 사회복지 비용을 증가시키는 등 미래 세대의 부담을 늘리고 국가 경제성장 잠재력을 하락시킬 것이기 때문이다.

2016년부터 둘째 아이를 허용하기 시작함에 따라 출생아가 증가하기 시작했다. 제도 시행 첫해인 2016년 한 해에 1,786만 명의 신생아가 태어나 2000년 이후 최다 출생을 기록했으며, 전년 대비

7.9%나 늘었다. 중국 정부의 '한 가정 한 자녀 갖기 정책' 철회는 저출산과 인구 고령화 대책이었는데, 두 자녀 허용으로 2050년까지 3,000만 명의 추가 노동력을 확보하고 고령화율을 낮출 것을 기대하고 있다. 그러나 점차 선진국형의 사고방식과 경제적 부담으로 출산을 원하지 않는 중국인이 늘고 있어 어느 정도 지속적인 성과를 거둘지는 미지수다.

중국 정부는 두 자녀 가정에 대한 출산 교육, 의료 서비스, 세금 혜택, 출산 휴가 등 추가적인 지원 대책을 마련하고 있다. 급속한 인구 고령화 추세가 결국 중국의 지속적인 성장을 저해해 중국 정부가 그토록 원하는 장기적 목표, 즉 2049년 모두가 높은 수준으로 균등하게 잘 사는 대동사회 건설에 차질을 줄 수 있다고 우려하고 있다.

높은 임금 상승

인구 고령화 문제와는 별개로 중국은 여전히 서구 선진국에 비해 절대적으로 낮은 노동생산성으로 어려움을 겪고 있다. 그래도 그동안은 낮은 임금을 유지할 수 있어 국가와 기업의 경쟁력을 유지했으나, 2010년 이후 인건비 상승으로 점차 외국 기업들이 하나둘씩 베트남 등 동남아시아 국가로 생산시설을 이전하면서 중국을 떠나고 있다. 일본의 가전업체 파나소닉은 2015년 TV 제조공장의 문을 닫았고, 2016년 11월에는 영국계 유통업체인 마크스앤드스펜서(Marks & Spencer)가 중국에서 철수를 선언했다.

미국에 본사를 두고 있는 세계 최대 하드디스크 제조업체인 시게이트(Seagate)가 2016년 12월 쑤저우공장을 폐쇄했다. 필자가 근무하는 광둥성 내에서도 2016년 둥관 소재 삼성전기가 분사(分社)하고, 후이저우에 공장이 있는 삼성전자의 스마트폰 판매 부진 등으로 생산라인 축소 및 인근 한국의 하청업체들이 다수 철수했다. 그동안 높은 임금 상승과 추격해오는 중국 현지 기업들과의 경쟁 심화가 그 원인이라고 할 수 있다.

중국인의 임금이 큰 폭으로 상승했지만, 그래도 미국 노동자 임금과 비교하면 20%에 불과하다. 예를 들면 애플사의 협력업체 가운데 90% 이상이 아직 중국에 공장을 유지하고 있다. 이는 인도, 베트남 등 신흥개도국의 임금 수준이 중국보다 낮지만 중국처럼 완성된 산업 클러스터나 인프라를 갖추지 못하고 있어 기회비용 등을 고려하면 중국의 노동생산성의 상승폭이 임금 상승률을 상회한다고 보는 것이다.

그러나 문제는 한국의 중소기업이 중국에 진출해 사업하기에는 미국의 애플사와 그 환경이 크게 다를 수밖에 없다. 그들의 사업이 워낙 영세하다 보니 임금 상승에 민감할 수밖에 없는 것이 현실이기 때문이다. 그들이 베트남 등 여타 동남아시아나 서남아시아 국가로 사업체를 이전하는 이유다.

노동시장의 구조적 문제

중국의 노동시장을 수요 측면에서 보면, 아직은 전반적으로 안정적인 추세를 견지하고 있다. 그러나 경제성장률의 점진적 하락(2014년 7.3%에서 2016년 6.7%), 고급 인력에 대한 구인난 및 구직난의 동시 발생, 공급측 구조개혁 정책에 따른 과잉생산 부문의 구조 조정, 대졸자 취업난 증가 추세(2016년 도시 등록 실업율 4.02%) 등 다양한 고용시장의 구조적 문제들이 판도라 상자와 같이 튀어나오기 시작해 향후 중국 경제의 불안 요소로 작용할 것이다.

중국 정부는 2017년 경제성장률 목표인 6.5%를 이룩해 1,100만 명 이상의 일자리 창출을 기대하고 있다. 그러나 중국에는 매년 대학 졸업자 800만 명, 전문대 및 직업학교 졸업자 500만 명이 배출되고 있어 이들을 채용하기에는 역부족일 것으로 예상된다. 또한, 경기 침체로 중국 정부가 추진하고 있는 공급측 구조개혁에 따른 불가피한 실업 발생에 대해서는 정부 자금 투입과 지방정부의 협조를 통해 새로운 일자리를 제공한다는 방침이다. 이렇게 새로운 일자리를 마련해주어야 할 대상이 약 100만 명에 달할 것으로 보고 있다.

한편, 노동시장을 공급 측면에서 보면 중국 전체의 노동 인구(16~60세)는 2011년 9억 4,100만 명으로 정점을 찍은 후 2015년 9억 1,100만 명으로 감소 추세를 보이고 있다. 노동 인구의 평균 연령도 1985년 32세에서 2015년 36세로 늘어 노령화 경향을 보이고 있어 중국의 노동생산성은 여전히 낮은 상태로 유지될 것이다.

중국 국가통계국이 2017년 5월 발표한 '2016년 농민공 관측조사 보고'에 의하면, 중국 근대화의 산업 역군인 농민공은 2억 8,171만 명으로 전년 대비 1.5% 증가했으나 농민공에 대한 귀향, 창업 지원, 일부 도시의 인구 통제 조치 등으로 다른 성(省)에서 온 유동 농민공 수는 5년 연속 감소하고 있다. 농민공의 평균 연령은 39세이고, 평균 월소득은 3,275위안(전년 대비 6.6% 증가)에 달한다고 한다. 이들의 소득은 도시 취업근로자 평균 임금 5,619위안(2015년 기준) 대비 60%에도 미치지 못하고 있다.

4 부진한 제조업

투자와 소비의 위축

중국의 '세계의 공장'이라는 명성이 흔들리고 있다. 저임금을 기반으로 중급 수준의 물건을 제조·생산하고 수출하는 방식의 경제 운영 체제는 임금 상승 등으로 점차 힘들어지고 있다. 앞서 설명한 중국 정부의 공급측 구조개혁 정책의 여파로 중국 내 기업의 투자 및 개인의 소비 활동도 위축되고 있다. 게다가, 중국의 장기간 고도 경제성장에 따른 피로감과 세계경제 침체의 영향으로 중국 경제의 침체 역시 불가피해졌다. 아울러 시진핑 정부 등장 이래 추진되고 있는 강력한 반부패 운동으로 정부 지출이 제한되어 기업의 투자와 개인의 소비가 함께 위축되고 있다.

2016년에 당초 중국 정부가 낮추어 목표한 대로 6.7% 성장을 기록하고, 2017년에도 6.8% 성장을 달성했지만, 이는 실물경제의 성장보다는 금융 관련 산업과 부동산 산업의 성장에 의지하는 바가 크다. 따라서 실속 있는 건전한 성장이라고 보기는 힘들다. 오히려 금융, 인터넷, 부동산 분야의 팽창으로 임금, 자금 조달, 임대료 등의 비용이 실물경제가 감당할 수 없는 정도로 상승해 기업 운영에 부담을 주거나, 우수한 인력과 자금의 쏠림(부익부 빈익빈) 현상이 발생하고 있다. 이와 같이 임금 인상에 따른 가격 경쟁력 저하와 개인의 소비와 기업의 투자가 위축되면 제조 산업 전반에 미치는 영향도 불가피하다.

중국 제조 2025 전략

제1부에서 중국 경제의 지속적인 성장 전략으로 혁신, 균형과 협조, 녹색, 개방, 동반성장을 핵심 이념으로 하는 2016~2020년간의 13.5 규획을 살펴보았다. 중국이 지난 30년간의 성장 동력에서 벗어나 새로운 성장 동력을 찾겠다는 것이다.

중국 정부는 첫째, 구조 조정, 재고 소진 등 기업 환경을 개선해 새로운 도약의 기반(공급측 구조개혁)을 만들고, 둘째, 개선된 환경하에서 경쟁력 있는 스마트한 제조(중국 제조 2025)에 역점을 두며, 셋째, 인터넷을 기반으로 한 생산자·소비자 간의 긴밀한 네트워킹(인터넷 플러스)을 통해 시장을 확대해 새로운 미래 성장 프레임을 만든다는 것이다. 즉, 13.5 규획의 핵심은 공급측 구조개혁, 중국 제조 2025, 인터넷 플러스 정책의 결합으로 요약된다.

이 가운데 중국 제조 산업 분야의 재건 계획을 보면, 리커창 총리가 2015년 3월 중국 제조 2025 전략을 발표했다. 이는 중국이 선진국으로 도약하기 위해서는 제조업의 업그레이드가 필요하다는 인식하에 구상한 전략이다. 기본적으로는 독일의 인더스트리(Industry) 4.0이나 한국의 제조업 3.0과 같은 취지의 전략이다. 중국은 2015년부터 2025년까지 제조업 발전 제1단계의 관련 주요 지표로 일정 규모 이상의 제조업체 매출액 대비 연구개발 지출 비중을 10년 동안 0.95%에서 1.68%로 올리고, 인터넷 보급률을 50%에서 82%로 올린다는 것이다. 또한, 장기적으로 제조 강국으로 성장하기 위해 2035년까지 제2단계, 2045년까지 제3단계에 이르는 발전 전략을 각각 마련했다.

중국은 세계 각국의 제조업 수준을 3개 그룹으로 나누어 미국을 제1그룹, 독일·일본을 제2그룹, 영국·프랑스·한국·중국을 제3그룹으로 분류했다. 중국은 이미 한국을 자신들과 같은 동급의 수준으로 간주해 경쟁의 대상이지 자신들이 배워야 할 대상 국가로 생각하지 않는다. 이러한 상황인데도 한국 정부나 기관 연구소들의 보고서를 보면 안타깝게도 향후 제4차 산업혁명 시대를 맞이해 한중간 첨단 산업에서 협력 가능성을 자주 언급하고 있다. 이는 어떻게 보면 "떡 줄 사람은 생각도 않고 있는데 떡을 달라"는 격이다. 실로 한국 정부와 기업의 섬세한 대(對)중국 접근과 분발이 필요한 시기라 할 수 있다.

중국 제조 2025의 제1단계 목표는 중국의 제조업 수준을 제3그룹에서 제2그룹인 독일이나 일본의 수준으로 끌어올린다는 것이다. 이와 관련, 리커창 총리는 2017년 5월 말 베를린을 방문했다. 중·독 총리 회담의 주제는 중국 제조 2025와 독일 인더스트리 4.0 간의 협력을 통한 혁신(innovation)이었다. 신에너지, 환경보호, 전기자동차,

자율주행 자동차 등 첨단 분야가 협력 대상이다. 독일 첨단 산업기술을 향한 중국의 전방위 구애가 실로 진지하다. 한국이 독일이었다면, 중국이 한반도 사드 배치 결정 이후 과연 보복 조치를 할 수 있었겠는가 하는 가정적 우문(愚問)이 계속 머릿속에서 맴도는 대목이다. 중국이 사드 배치를 주도한 미국이나 과거사 문제로 사이가 좋지 않은 일본을 버리지 못하는 배경이기도 하다.

중국은 중국 제조 2025의 제1단계 기간 중에 우선 미래 성장 동력 산업으로 10대 산업을 선정해 전략적으로 발전시킨다는 목표를 세웠다. 10대 산업에는 차세대 정보기술(반도체, 정보통신, OS 및 산업용 SW), 고정밀 수치 제어 및 로봇, 항공우주 장비, 해양장비 및 첨단 선박, 선진궤도 교통설비, 에너지 절약 및 신에너지 자동차, 전력 설비, 농업기계장비, 신소재, 바이오 의약 및 고성능 의료기기 등이 포함되어 있다.

이 10대 산업 중 첫 번째로 거론된 차세대 정보기술에는 반도체가 있다. 현재 중국 반도체 시장의 90%를 공급하는 한국으로서는 중국의 자국산 수입 대체 노력에 긴장하지 않을 수 없다. 그 밖에 우리가 현재 기술우위를 견지하고 있는 배터리, OLED, 헬스 케어, 바이오 의약 및 의료기기 분야 등에서도 향후 중국의 추격과 이로 인한 중국 기업과의 경쟁이 심각한 상황이라고 할 수 있다.

중국은 제조업과 IT 산업의 융합을 적극 추진하고 있다. 2016년 5월 중국 국무원은 '제조업과 인터넷 융합 발전 심화에 관한 지도 의

견'을 발표했다. 사물인터넷, 빅데이터 등을 발전시켜 스마트 제조에 유리한 환경을 조성한다는 것이다. 인터넷 플러스와 중국 제조 2025의 결합이다. 중국은 제4차 산업혁명 시대의 주인공이 되기 위한 로드맵을 그리면서, 이를 착실히 이행하고 있다. 중국과 같은 길을 걷고 있는 한국은 중국에 뒤처지지 않기 위해, 그리고 우리의 노력이 헛수고가 되지 않도록 늘 깨어 있지 않으면 안 된다.

중국 정부는 2015년에 발표한 중국 제조 2025 전략을 기반으로 총 11개 관련 시행 문건을 추가로 발표해 2017년 초 중국 제조 2025의 시행 시스템을 완전히 구축하고, 구체적으로 실시 단계에 접어들었다.

상기 11개 관련 문건을 열거해보면, 국가 제조업 혁신센터 건설, 공업 기반 강화, 스마트 제조업 육성, 녹색 제조업 육성, 첨단 장비 혁신, 서비스형 제조업 발전, 장비 제조업 품질 향상 및 브랜드 구축, 신소재 육성, 정보산업 육성, 의약 공업 육성, 제조업 인재 발전 등에 관한 계획을 각각 담고 있다. 다시 말해, 중국 정부는 중국 제조 2025 전략을 통해 중국을 기존의 잡화품 생산을 위한 세계의 공장에서 스마트 제품의 디자인에서부터 생산까지를 맡는 신제조업 강국으로 거듭나겠다는 원대한 계획을 세운 것이다.

국내 산업 보호주의 현상

중국은 인구 고령화가 빠르게 진행됨에 따라 불가피하게 노동생산성이 낮아지고, 고임금의 노동시장으로 변화하면서 제조업 경쟁력이 약화될 것이다. 이에 따라 경기 침체, 제조업 부진, 민간 활력 둔화 등의 경제 현상 타파를 위해 적극적인 대책으로 해외 투자를 강화(쩌우추취 정책)하는 한편, 자국 내 산업 보호에도 적극적이다.

국내적으로는 자국의 전략산업 보호 육성을 위해 금융, 사이버 안보 등 분야의 신규 규정 제정을 통해 중국 내 외국 기업의 활동을 차별적으로 제한하는 보호주의 경향이 심화되고 있다. 주요 선진국뿐만 아니라 한국과 관련해서도 삼성이 중국 전기자동차용 배터리 시장의 잠재력을 보고 중국 시안에 대규모 투자를 해왔으나, 중국 정부는 2016년 이래 삼성 등 한국 기업들이 생산한 배터리를 사용한 전기버스를 보조금 지급 대상에서 제외하는 등 자국 기업에 대한 보호조치를 취하고 있다.

이와 같이 미국, 유럽 등은 중국 정부가 주도하여 자국 기업을 중점적으로 육성하고, 외자 기업을 배제하는 보호주의 정책을 펴고 있다는 평가를 내리고 있다. 특히 중국에 진출한 유럽상공회의소(Chamber of Commerce of the EU)가 2017년 4월 말 발표한 '중국 제조 2025 백서'에 의하면, 중국 제조 2025 정책의 최대 피해국으로 한국을 비롯한 5개국(한국, 체코, 헝가리, 독일, 아일랜드 등)을 지목하고 있으며, 대표적 피해 사례로 삼성SDI와 LG화학의 리튬이온전지 보조금 문제를 제시하고 있는 것을 보아도 우리에게 주는 시사점이 크다고 할 수 있다.

5 빈부 격차와 사회 불안

지역간 빈부 격차

중국의 빈부 격차 문제는 2000년대 초까지는 지역간 불균형이 주된 문제였다. 중국은 22개의 성, 4개의 직할시, 5개의 소수민족 자치구로 구성되어 있는데, 이들끼리도 빈부 격차가 크다. 즉, 도시와 농촌의 격차, 동부 연안 지역과 서부 내륙 지역의 격차가 심화되고 있다. 중국 정부는 2000년 이후 소위 '서부대개발'이라는 거대 국가 개발 프로젝트를 들고 나와 동서를 잇는 도로, 철도, 댐, 수도관 및 송유관 건설 등 인프라 건설 사업과 서부 지역에 대한 대대적인 투자 유치 정책을 폈다. 막대한 국가 재정을 투입해서 어느 정도 성과는 있었겠지만, 시장성이 떨어지는 서부 개발에는 한계가 있었다.

최근 중국 경제가 하강 국면에 들어서면서 동부 연안 지역에서도 수익을 내기 힘든 마당에 쓰촨성의 충칭, 청두 등 일부 지역을 제외하고 중서부 지역에까지 가서 투자하려는 기업이나 사람은 비교적 적을 수밖에 없었다.

실제 2016년 화난 지역의 광둥성은 전국 평균 경제성장 수치인 6.7%를 상회해 7.5%를 기록한 반면, 동북 3성(지린성·랴오닝성·헤이룽장성)은 5% 이하의 성장률을 보였다. 또한, 중국의 31개 성·시·자치구 가운데 최고의 부자 성인 광둥성은 중앙에서 10% 정도의 낮은 재정 지원을 받고 있는데 반해, 서부 지역의 10개 성은 50% 이상의 재정을 중앙정부에 의존하고 있다.

시진핑 정부는 과거 장쩌민 정부의 서부대개발 정책을 대신해 일대일로 정책을 도입하고 변경 지역을 개발하고 있다. 또 주변 외국과의 연계를 통해 동아시아, 유럽, 아프리카까지 포함하는 거대 네트워크-경제권을 구성해 지역간 빈부 격차를 해소하고, 중국을 전 세계의 중앙 나라 '중국(中國)'으로 만들려고 한다.

역사적으로 보면, 1950~1960년대 중국공산당 초기 마오쩌둥은 동부 연안 지역은 외부 침입에 취약하다는 이유로 오히려 내륙을 중

중국의 56개 민족과 지방 구성

중국의 민족

중국은 91.5%의 한족(漢族)과 8.5%의 55개 소수민족으로 구성되어 있다. 중국은 10년에 한 번 전국적으로 인구센서스를 시행하는데, 가장 최근에 실시된 것은 2010년이다. 2010년 인구센서스에 의하면, 전국 인구가 13억 3,772만 명이며, 한족이 12억 2,000만 명이고, 기타 55개 소수민족이 약 1억 700만 명이며, 기타 미식별 민족이 약 65만 명으로 조사되었다. 55개 소수민족 가운데 인구수로 보면, 장족(藏族)이 1,700만 명으로 가장 많으며, 그 뒤로 회족(回族), 만주족, 위구르족 순으로 모두 1,000만 명을 넘기고 있다. 조선족은 14번째로 2010년 현재 약 183만 명이다.

중국의 지방

중국은 전국적으로 한국의 광역 지자체에 해당하는 단위로 22개 성(省), 4개 직할시(直轄市, 베이징, 상하이, 톈진, 충칭), 5개 자치구(自治區, 내몽골, 신장위구르, 광시좡족, 티베트, 닝샤후이족)로 구성되어 있다. 이 가운데 총 GDP 순서로 보면 1조 달러가 넘는 광둥성, 장쑤성 2개의 성이 1위와 2위이고, 이어 산둥성, 저장성(浙江省), 허난성(河南省) 순이다. 제일 부자인 광둥성과 제일 열악한 티베트자치구의 1인당 GDP도 2배 이상의 차이를 보이고 있다. 인구수로 비교해보면 1억 800만 명이 약간 넘는 광둥성이 가장 많고, 이어 산둥성, 허난성, 쓰촨성, 장쑤성 순이다. 면적으로 보면, 결과가 완전히 반대로 서부에 있는 신장위구르자치구, 티베트자치구, 내몽골지치구가 1,2,3위이고, 제일 넓은 신장위구르자치구는 한국 면적의 17배나 된다. 27개 성과 자치구 가운데 한국보다 면적이 작은 곳은 하이난성(海南省)과 닝샤후이족자치구뿐이다.

심으로 산업발전 전략을 펼쳤으나 실패했다. 1970년대 말 덩샤오핑은 반대로 홍콩, 마카오, 타이완의 경제력을 활용해 서부 지역보다도 발전이 뒤져 있던 동부 연안 지역을 중심으로 개혁개방정책을 펼쳐 1990년대 이후 결실을 거두며 큰 발전을 이루었다. 그 결과 동서 간의 격차가 역으로 심화되었던 것은 주지의 사실이다.

현재 중국 지도자들은 앞서 언급한 서부대개발과 일대일로 정책을 통해 동서 간 격차를 줄이려고 노력하고 있다. 이러한 동서 격차는 서부의 노동력을 동부 연안 지역의 경제권이 받아낼 수 있을만큼 지속적으로 성장한다면 문제가 되지 않겠지만, 경기 침체로 동부 지역의 성장도 한계를 드러낼 경우에 결과적으로 이들에게 일자리를 제공하지 못함으로써 동서 간의 격차는 더욱 벌어질 것이다. 이것은 사회·정치적 문제로 확대될 가능성이 있어 중국 정부는 무엇보다 큰 주의를 기울이고 있다.

중국은 사회주의국가인가

중국에는 동서 간, 도농 간 격차 문제가 여전히 남아 있다. 2000년대 이후 급속한 경제 발전과 더불어 부동산 시장의 급성장, 주식 시장의 급팽창으로 생겨난 개인 간 사유재산의 격차가 이 같은 문제를 더욱 확산시키고 있다.

자본주의 시장경제를 추구하는 한국이나 다른 서구에서 나타나는 부익부 빈익빈 현상이 중국에서도 나타나기 시작한 것이다.

2017년에 발표된 제5차 중국 개인자산보고에 따르면, 1,000만 위안(17억 원)이 넘는 고액 자산가가 지난 6년간 매일 490명씩 늘어났다고 한다. 전국적으로 2006년 18만 명에서 2016년 158만 명으로 급증했으며, 그 가운데 약 70%가 지난 6년 사이에 고액 자산가가 되었다고 한다.

이와 같이 '중국이 과연 사회주의국가인가?'라고 의문을 가질 정도로 하루가 다르게 빈부 격차가 심해지고 있다. 중국에서도 확대된 중산층이 소득 격차, 부동산 거품화, 환경오염 문제 등에 불만을 표시하기 시작했다. 중국 정부도 이 현상에 대처하고자 수년 전부터는 기존의 경제 발전에서 조화로운 사회 건설에 중점을 두고 있다. 저임금 노동력을 대체하는 임금 인상, 최소 임금제 도입, 상박 하후의 임금 인상 정책 등을 시행하고 있다.

그렇지만 아직도 빈부 격차에서 오는 많은 국민의 상실감을 메우지는 못한다. 특히, 중산층 이하의 사람들은 고소득자들이 열심히 일해서가 아니라 부정부패나 관시(關係)에 의한 불공정 경쟁의 수혜자라고 보는 경향이 있다.

중국은 강제적 집단평등주의의 마오쩌둥 시대를 지나 지금은 세계 최대 빈부 격차 국가인 브라질이나 미국만큼이나 빈부 격차가 심해졌다. 이는 사회 곳곳에 만연된 부패가 주요 요인이다. 그러다 보니 중국에서도 푸얼다이(富二代, 세대간 부의 대물림을 의미함) 등 중국판 금수저·흙수저 논쟁이 한창이다. 시진핑 주석이 집권 이후 가장 신경을 많이 쓰고 있는 부패척결 운동도 모두 이런 맥락에서 사회적 안정을 위해 시행되고 있는 것이라고 할 수 있다.

개인 간의 빈부 격차 확대는 중국 경제 구조의 변화에 따른 것이기도 하다. 중국 경제의 성숙과 세계경제의 침체라는 소위 뉴노멀 경제 환경하에서 중국 정부는 기존의 제조업 중심의 성장에서 서비스업 및 첨단산업 중심의 성장에 역점을 두고 있다. 이에 따라 IT 산업 등을 통해 손쉽게 돈을 벌어들이는 사람들이 생기는 한편, 지방 노동자들은 산업 자동화 등으로 오히려 일자리 확보에 비상이 걸리기 시작했다.

설상가상, 임금 인상 등으로 중국 제조업의 경쟁력이 약화됨에 따라 중국에 기반을 두었던 많은 노동집약적 제조업 기업이 인근 베트남 등 동남아시아로 공장을 이전하기 시작했다. 또한, 앞서 보았듯이 국유기업의 부실에 대처하기 위한 공급측 구조개혁 정책에 따라 전통적인 일자리는 축소되고, 노동자의 소득이 줄어드는 부익부 빈익빈 현상이 더욱 뚜렷하게 나타나게 되었다.

노동자와 농민의 불만 : 사회 불안 요소

2016년 기준 월평균 소득이 3,275위안(53만 원 상당, 도시 취업 근로자의 평균 임금은 2015년 5,619위안)에 불과한 2억 8,000만 명에 달하는 중국의 농민공은 소득 격차 외에도 여타 사회적 차별에 대해 분노하고 있다. 농민공들은 중국 특유의 후커우(戶口, 신분과 거주지를 증명하기 위한 제도라는 점에서 한국의 주민등록제도나 본적제도와 비슷하다. 하지만 후커우의 이동이 현실적으로 거의 불가능하다는 데서 큰 차이가 있다. 즉, 현행 후커우 제도는 중국 정부가 국민들의 거주지 이전을 효과적으로 통제하기 위해 만든 제도라고 할 수 있다) 제도에 따라 이주지에서 자녀들의 학교 배정, 의료 시설 이용, 기타 공공 서비스 제공 등에 차별대우를 받는 데 대해 불만을 갖고 있다.

중국 역사상 1990년대에 최대의 인구 이동이 있었는데, 많은 농민공이 일자리를 찾아 동부 연안 지역 도시로 이동했다. 대부분이 20~30대였으나, 후커우 제도에 의해 자녀들이나 부모를 고향에 두고 혼자 상경해 일할 수밖에 없었다. 그러나 최근에 일부 도시가 후커우 제도를 완화해 농민공의 가족이 도시로 올라와 가족 재상봉이 가능하게 되었다. 그러나 아직도 학교, 의료, 보험 등에 대한 정부의 지원 대책이 제대로 마련되지 않아 큰 고충을 겪고 있으며, 이는 사회적 불안 요소로 대두되고 있다.

중국의 빈부 격차 문제에 대해 중국 학자들은 다음과 같이 항변한다. 어느 나라나 정도의 차이가 있지만 개인 간 빈부 격차가 있고, 최우선 대책으로 '최빈 계층의 소득 지원 정책'을 추진하고 있으며, 최소 의식주에 필요한 소득 수준은 그렇게 높지 않기 때문에 소득 보조 정책 등을 통해 저소득층의 불만을 해결할 수 있다. 중국은 이미 중진국의 함정(개발도상국이 중진국 단계에서 성장 동력 부족으로 선진국으로 발전하지 못하고 경제성장이 둔화되거나 중진국에 머무르는 현상) 단계를 넘어서고 있기 때문에 중남미 국가들에서 볼 수 있는 혼란은 일어나지 않을 것이라고 주장하는 것이다.

시 주석은 2017년 10월 개최된 제19차 당대회 보고에서 중국 특색의 사회주의 시장경제가 새로운 시대에 진입했다고 말했다. 또 새로운 시대에 당면한 중국 사회의 주요 모순은 "날로 증가하는 인민의 아름다운 생활에 대한 수요와 불충분하고 불균형된 사회 발전 간의 모순"이라고 언급했다. 즉, 현재 중국 사회의 도농 간, 지역 간, 계층 간 빈부 격차가 공산당이 해결해야 할 주요 과제임을 인정하고, 향후 지역 간 협조 발전 전략, 사회보장체계 강화에 역점을 둘 것을 천명한 것이다.

6 부패와 환경오염

천산갑 소동

2017년 2월 중국의 모든 언론에서 화제가 된 뉴스가 있었다. 어느 홍콩인이 멸종위기의 희귀 동물 천산갑(穿山甲)으로 만든 요리 사진을 자신의 SNS에 올리면서 이전에 중국 공무원들에게서 대접 받은 요리라고 적었고, 이를 본 중국 네티즌들이 분노한 사건이다. 천산갑은 고급 식재료인 동시에 특정 질병의 특효약으로 알려져 멸종위기의 희귀 보호 동물이지만 밀매가 잦았다. 반부패를 국시처럼 생각하는 시진핑 정부에서 공무원들에 의한 부당한 접대는 바로 문제가 될 수밖에 없었다.

중국 정부는 곧바로 조사에 착수했다. 중국 남부 광시좡족자치구의 일부 공무원이 홍콩 기업인으로부터 투자를 유치하기 위해 CITES(멸종위기에 처한 야생 동식물종의 국제거래에 관한 협약)에서 거래가 금지된 천산갑을 밀수해 홍콩 기업인에게 접대한 것으로 밝혀졌다. 재미있는 것은 광시좡족자치구의 접대 공무원은 체포되었지만, 광시좡족자치구는 이미 홍콩에서 약 100억 달러에 달하는 투자 유치에 성공했다는 것이다.

중국에는 "나라는 백성을 근본으로 삼고, 백성은 먹는 것을 하늘로 삼는다(國以民爲本, 民以食爲天)"라는 말이 있다. 어느 나라 백성이나 다 그렇겠지만 먹는 것이 중요하다는 말이다. 그래서 그런지 중국 요리는 맛에서도 그렇고, 종류 면에서도 세계 최고다. 수천 년의 역사 속에서 수십억 명 이상의 중국인이 그동안 먹고 마시면서 시행착오를 해온 음식이니 그 경쟁력이 오죽하겠는가? 중국 식당에 가면 원탁 테이블이 많다. 중국인은 전통적으로 원탁 테이블에 둘러앉아 함께 차를 마시고, 음식을 나누며, 술잔을 기울인다. 가족끼리 먹기도 하지만 이웃이나 동향(同鄕) 사람들과 함께 먹으면서 식구와 같은 관시가 형성된다.

한국인도 겉으로 잘 드러내지는 않지만 동향을 중시하는 경향이 있다. 중국에서는 아직도 사람을 만나면, "당신의 고향이 어디냐?"는 질문을 던진다. 동향이나 고향의 한자 향(鄕)자는 원래 함께 먹는다는 뜻에서 왔다. 이렇다 보니, 중국에서 비즈니스를 하려면 다홍바오(大紅包)와 같은 중국 특산 차를 마시며 분위기를 만들고, 상다리가 휘어지게 차려 밥을 같이 먹는다. 전복, 석반어, 해삼 등 비싼 요리를 먹으면 먹을수록 효과가 있으며, 마오타이주(茅台酒)나 우량예(伍粮液) 등 중국 8대 명주를 곁들여 분위기를 최고조로 올린다. 그리고 손님과 헤어지면서 홍바오(紅包, 붉은 봉투에 넣은 세뱃돈을 의미)까지 쥐어주면, 가족 관계 이상의 진정한 관시가 형성된다. 이러한 인간 관계의 뒷면이 바로 부패의 출발점이다.

중국의 요리, 차, 술

중국인의 삶에서 요리, 차, 술은 떼려야 뗄 수 없는 관계다. 단순히 손님 접대를 위해서뿐 아니라, 요리, 차, 술은 중국인의 일상 그 자체다. 중국의 요리, 차, 술은 한국에도 많이 알려져 있지만, 독자들의 이해를 돕기 위해 간략히 요약 정리했다.

중국 요리

중국 요리는 지역에 따라 크게 4대 요리로 구분된다. 첫째 베이징 요리(징차이[京菜])로 산둥성과 산시성까지를 포함한 요리를 말하며, 육류를 중심으로 튀김과 볶음 요리가 많다. 베이징 오리(카오야[烤鴨])가 대표적이다. 둘째, 상하이 요리(상하이차이[上海菜])로 예부터 난징을 중심으로 한 양쯔강 하구 지역 음식을 말한다. 해산물 요리가 많으며, 간장과 설탕을 사용한 장유(醬油)를 양념으로 사용한다. 상하이 게 요리가 특히 유명하다. 셋째, 광둥 요리(웨차이[粵菜])로 중국 남부 지역의 광저우, 차오저우 및 푸젠 요리를 포함한다. 일찍부터 '음식은 광저우에서(食在廣州)'라는 말이 있듯이 중국 요리 가운데 최고로 친다. 양념보다는 재료가 갖는 자연의 맛을 살려 담백하게 만드는 것이 특징이며, 딤섬으로도 유명하다. 넷째, 쓰촨 요리(촨차이[川菜])로 중국 서부 지역 쓰촨성, 윈난성(雲南省), 구이저우성(貴州省) 요리를 포함한다. 기후 환경이 좋지 않은 내륙 지방으로 향신료를 많이 쓰는 요리로 발전했다. 대체로 맵고, 마늘·파·고추를 많이 쓴다. 마파두부, 훠궈(火鍋) 등이 대표적이다.

중국 차

차는 커피와 코코아와 함께 세계에서 가장 오랜 역사를 갖는 3대 음료다. 5000년 전부터 중국에서 마시기 시작했다고 한다. 음료라고 하지만 중국에서는 음료가 아니라 차를 통해 기(氣)를 마신다고 한다. 중국은 현재 전 세계 차잎 생산에 있어서도 40% 정도를 차지하고 있으며, 총 시장 규모는 2016년 약 3,000억 위안(50조 원)에 달한다. 일반적으로 차는 발효 정도에 따라 분류된다. 첫째, 발효가 안 된 차를 녹차라고 하고 룽징차(龍井茶)가 대표적이며, 약 70~80도의 물에 우려 마신다. 둘째, 반발효차로 우롱차가 대표적이며 푸젠성 테관인차(鐵觀音茶)가 유명하다. 약 80~90도의 물에 우려 마신다. 셋째, 발효차로 홍차 또는 흑차라고 하며, 홍차로는 안후이성(安徽省)의 치먼홍차(祁門紅茶)와 흑차로는 윈난성의 푸얼차(普洱茶, 보이차)가 유명하다. 발효차는 95~100도의 끓는 물에 우려내 마신다. 계절적으로는 봄에는 화차, 여름에는 녹차, 가을에는 우롱차, 겨울에는 홍차 또는 흑차가 일반적으로 몸에 좋다고 한다(실제는 훨씬 복잡한 분류 체계를 갖고 있지만, 독자들의 이해를 위해 잘 알려진 차를 중심으로 분류했다).

중국 술

중국 술의 역사는 차보다도 앞선다. 또한, 차와 마찬가지로 각 지방마다 문화에 맞는 특산주를 갖고 있으며, 술마다 나름의 스토리(story)를 갖고 있다. 특히, 중국 시인 소동파, 이백, 도연명 등의 시에는 술이 안주로 들어 있다. 중국의 전통술은 바이주(白酒)와 황주(黃酒)로 분류되는데, 일반적으로 바이주가 대부분을 차지하고, 황주는 찹쌀과 쌀을 주원료로 해서 와인 정도의 10~15도로 만든다. 저장성 사오싱(紹興) 지방의 사오싱주가 가장 유명하다. 바이주는 수수, 옥수수, 논벼, 밀, 소맥 등을 원료로 하여 만드는데 50~60도 정도로 매우 독한 술이며, 향에 따라 종류를 구분하기도 한다. 2016년 중국의 바이주 시장은 차잎 시장의 약 2배로 우리 돈으로 100조 원의 어마어마한 규모다. 중국 정부가 1949년 이후 주류 품평회를 열어 우수한 술을 선정했는데, 8가지 술이 5년 연속 우수상을 받아

'중국 8대 명주'가 되었다. 중국 8대 명주에는 구이저우성의 마오타이주와 둥주(董酒), 쓰촨성의 우량예와 루저우터취주(瀘州特曲酒), 안후이성의 구징궁주(古井貢酒), 장쑤성의 양허다취주(洋河大曲酒), 산시성의 펀주(汾酒)와 주예칭주(竹葉淸酒) 등이 포함되어 있다. 시간이 지나 각 지역에서 좋은 술을 많이 만들어내고 있어, 현재는 각 지방이 이 외에 자신의 지방에서 나온 술을 포함시켜 '중국 10대 명주'라고 주장하기도 한다. 한국인에게 잘 알려져 있는 고급 바이주인 수이징팡(水井坊)은 1998년 쓰촨성의 옛 제조창 유적지에서 발견되어 2000년 이후에 생산되기 시작했으나 전통적인 8대나 10대 명주에는 포함되어 있지 않다.

부패 문제

동서고금을 막론하고 인류 사회 어디에나 정도의 차이는 있겠지만 부패가 없는 곳은 거의 없다. 비즈니스, 정치, 개인 관계 등 곳곳에 부패의 고리가 있다. 특히, 관시 문화가 널리 퍼진 중국에서는 더욱더 그럴 수밖에 없다. 제1부에서 중국 거버넌스의 순기능에 대해 언급했다. 그러나 부패 문제는 중국 거버넌스 최대의 도전이다. 공산당 일당 체제와 집단지도 체제하에서 부패가 자리를 잡으면 견제할 세력이 없다 보니 그 폐해는 누구도 통제할 수 없는 상황으로 빠질 수 있기 때문이다.

이에 따라 덩샤오핑 이후 중국 역대 공산당 정부는 반부패 운동에 역점을 두었다. 시 주석도 집권 초기부터 부패 척결에 대한 강한 의지를 보이며 의법치국(依法治國)을 강조한 반부패 운동을 제도화했다. 이는 단순한 도덕적 개조가 아닌 부패로 인한 시장기능 왜곡을 바로잡기 위한 심화개혁(Deepening Reform)이며, 나아가 중국 발전 모델의 전환이라고 할 수 있다.

중국공산당은 2016년 한 해 동안 76명의 장관급 공무원을 포함해서 총 41만 5,000명의 중앙 및 지방 공무원을 부패 혐의로 제재를 가했다.

시 주석이 2012년 권력투쟁 과정에서 당시 충칭시 당서기 보시라이(薄熙來)의 부패사건 척결을 내세워 집권한 것을 볼 때, 시 주석의 반부패 운동은 반개혁 세력을 통제하기 위한 정치적 목적도 함께 지니고 있다고 보아야 할 것이다.

시 주석은 2014년 4월 공산당 중앙위원회에서 "현 상황은 부패와 반부패 양대 세력 간의 교착상태로 반부패 투쟁에 나의 생사, 직위, 평판을 모두 걸겠다"라고 언급하면서 강력하게 부패와의 전쟁 의지를 표명했다.

2017년 1월에는 시 주석 등 7명의 중앙정치국 상무위원 전원이 참석해 중국공산당 중앙기율검사위원회(위원장: 왕치산[王岐山])가 제7차 전체회의를 개최했다. 여기에서 2017년도의 중앙기율검사위원회 중점 추진 6대 임무를 선정 발표했다. 그 내용을 보면 국가감찰위원회 설립 준비, 부패 분자의 참회록 적극 공개, 지도자층에 대한 감찰 강화, 중점 대학에 대한 감찰, 기존의 반4풍(反4風, 관료주의, 형식주의, 향락주의, 사치풍조 등 4가지 업무 풍토 퇴치) 운동 강화, 민생 직결 부패에 대한 감찰 강화 등이다.

시 주석은 2017년 10월 제19차 당대회 보고에서 국가감찰법을 제정해 감찰위원회에 직책 권한과 조사 수단을 부여함으로써 쌍규(雙規, 엄중한 기율 위반 행위를 저지른 당원은 구금 상태에서 조사하는 것)를 대체하도록 하는 등 집권 2기에도 반부패 운동을 강력하게 펼쳐나가겠다는 의지를 표명했다.

시 주석의 반부패 운동은 정부 고위직만을 대상으로 하지 않는다. 그는 어느 자리에서 "호랑이와 파리를 함께 잡을 것이다"라고 말하면서, 2012년 12월 집권 초기부터 중하위직 공직자들에게도 경고했다. 이 중하위직 공직자들에게는 앞에서 언급한 4가지 업무 풍토 폐단을 없애기 위해 공공기관 신축 및 과도한 사무실 인테리어 제한, 각종 공개회의 간소화, 경조사 제한, 접대성 식사 및 음주 금지, 개인 통신료 등 비용의 공용 처리 금지, 형식주의 탈피, 공무용 차량 이용 규정 준수, 공금 이용 국내외 여행 금지 등 8가지 항목에 대해 매우 구체적으로 열거한 소위 바샹구이딩(八項規定)이라는 반부패 가이드라인을 제시했다.

시 주석의 엄격한 반부패 운동에도 중국 사회에 부패가 완전히 사라질 수는 없을 것이다. 미국 하버드대학의 민신페이(Minxin Pei) 교수는 그의 저서 『정실 자본주의(China's Crony Capitalism: The Dynamics of Regime Decay)』(2016)에서 시 주석의 반부패 운동은 부패를 없애기보다는 오히려 공산당 엘리트 간의 권력투쟁을 격화시켜 중국공산당 체제의 취약성을 증대시킬 뿐이라고 언급하며 부패 문제는 결코 사라지지 않을 것이라고 부정적 평가를 내리기도 했다.

중국의 부패 정도는 대외무역 관계에서 비관세 장벽 정도와 정비례 관계에 있다고 보아야 할 것이다. 비관세 장벽이란 관세 이외의 방법으로 외국의 수입을 제한하는 것으로 통관을 까다롭게 한다든지, 수입 수량을 통제한다든지, 기술 장벽을 높인다든지 해서 외국에서 상품을 들어오지 못하도록 막음으로써 자국 상품을 보호하는 조치를 말한다. 특히, 중국은 복잡하고 모호한 규정을 설정한다든지 규정을 자주 바꾸어 혼란스럽게 하기로 유명하다. 이렇다 보니, 수출국들은 영향력 있는 중국 공무원들과 관시를 갖고 있는 브로커를 통해 금품 등을 제공하더라도 높은 비관세 장벽을 넘어 수출을 시도하려는 부패 고리를 형성하기 쉽다.

예를 들어, 한국의 의료기기 업체가 중국에 의료기기를 수출하려고 하는 경우, 아무리 좋은 제품이라도 중국이 지정하는 국립병원에서 임상실험을 통과해야만 수출할 수 있다. 이러한 임상실험에는 돈이 많이 들고 2~3년이라는 시간이 걸려 웬만한 중소기업들은 중도에 포기하는 경우가 많다. 기업은 이 과정을 단축하기 위해 브로커를 통해 금품을 제공하기도 하지만, 이 역시 사기를 당하는 경우가 많아 주의가 필요하다.

동서고금을 막론하고 부정부패가 없는 곳은 없다. 시 주석의 엄격한 반부패 운동에도 거의 매일 중국 신문에는 반부패 공무원에 대한 처벌 뉴스를 볼 수 있다. 그래서 그런지, 2017년 3월 말 중국 양회에서 재차 반부패 선언이 강조된 이후 이례적으로 '인민의 이름으로(人民的名義)'라는 제목의 반부패를 소재로 한 55부작 TV 드라마가 인기리에 방영되었다. 중국에서는 2004년 이래 반부패를 소재로 한

드라마가 없었으나, 시 주석의 반부패 운동 이후 새롭게 등장한 것이다.

중국인에게 반부패 의식을 고취하고, 정부의 반부패 운동에 대한 국민적 지지를 이끌어내기 위한 의도적 기획이라고 할 수 있다. 중국 정치소설가 저우메이썬(周梅森)이 대본을 쓰고, 중국 검찰의 드라마 제작 기관인 최고인민검찰원 드라마센터가 제작한 이 드라마는 젊은 검사가 부총리급 관료의 부패를 파헤친다는 이야기다. 이 드라마가 방영되자마자 시청률 1위, 중국 제작 드라마 사상 최고의 시청률을 기록하는 등 중국인들에게 열렬한 환영을 받았다.

환경오염 문제

환경 문제의 심각성은 주지의 사실이다. 관련된 뉴스가 연일 수시로 신문 지면을 도배한다. 특히, 일부 선진국가의 기업 직원들은 베이징 근무 시 환경오염에 따른 위험수당까지 받는다고 한다. 한국 외교부에서도 한중 관계의 중요성에 따라 그동안 많은 직원이 베이징에 있는 주 중국 대사관 근무를 선호해왔으나, 최근 들어 연이어 터지는 베이징의 환경오염 뉴스로 희망자가 많이 줄었다. 젊은 직원들이 가족과 자녀의 건강을 생각해서 근무를 기피하는 것이다.

필자가 1999년 봄 베이징에 부임할 때도 중국의 환경 문제는 심각했다. 그러나 그때만 해도 주로 서부 지역이나 동북 지역의 옛 공장에서 발생하는 오염 문제에 대해서 이야기했고, 환경오염이 있기는 했지만 그보다는 오히려 황사 문제를 환경 문제의 주범으로 생각했다. 그러나 이제는 황사를 넘어서 인체에 치명적이라고 하는 초미세 먼지가 주 대상이 되고 있다. 지난 10여 년간 중국의 고도 성장기에 톈진, 스자좡(石家莊) 등 베이징 주변에 많은 공장이 들어섰다. 비가 오지 않고 바람이 불지 않으면 베이징에는 미세먼지, 오염물질, 황사 등이 뒤범벅이 되어 숨조차 쉬기 힘든 상태가 되어버렸다. 중국인들도 이제는 아침에 일어나 제일 먼저 챙겨보는 것 중의 하나가 대기오염지수가 되었다.

중국 정부는 2014년 이래 오염시설 철거, 공장 설비 개선, 차량 운행 제한, 석탄 소비량 감소 등을 대책으로 내놓으며 나름 노력중이지만 역부족이다. 환경오염의 주범인 석탄은 중국 제1의 에너지원이기에 더욱 그렇다. 최근 중국 에너지 소비 중 석탄이 차지하는 비중은 60%를 넘는다. 이는 전 세계 석탄 소비량의 절반이 넘는다고 하니 더는 말이 필요 없다. 중국 정부는 13.5 규획에서 공급측 구조개혁의 일환으로 2020년까지 석탄 비중을 55%까지 낮춘다는 목표를 제시했다. 그러나 그 효과가 얼마나 되며, 그 실효성이 있을지는 두고볼 일이다. 중국이 환경오염도를 대폭 줄이기 위해 석탄 사용을 줄인다면, 중국의 경제성장률도 떨어질 것이다. 중국 정부로서도 이러한 선택을 하고 싶어도 할 수 없을 만큼 어려운 상황에 직면해 있다.

베이징에는 약 2,200만 명의 인구가 살고 있다. 그 가운데 한국 국민도 인근 지역까지 합치면 약 10만 명이 살고 있다. 환경오염 문제는 가족 전체의 목숨이 걸려 있는 심각한 문제다. 베이징은 2017년 초 첫째, 산업구조를 고도화해 공해 배출원을 근절하고, 둘째, 석탄 등 화석연료 사용 비중을 줄이는 등 에너지 구조를 개선하고, 셋째, 친환경 교통 캠페인 등을 통해 교통수단 구조를 개선하고, 넷째, 녹지와 습지 면적을 확충해 용지 구조 개선을 한다는 대책을 내놓고 환경보호 단속을 강화하기로 했다.

환경 전문가들은 베이징 지역의 오염물질이 주로 주변 20개 도시, 즉 베이징, 톈진과 허베이성의 8개 도시, 산둥성의 5개 도시, 허난성의 5개 도시에서 날아오는 것으로 보고, 이들 도시에 대한 통제를 강화하고 있다. 이를 위해 이 도시들에 소재하는 45*m*가 넘는 공장 굴뚝에서 나오는 물질이 몇 시간 내에 베이징에 도달하는 점을 감안해 이들 공장에 대한 통제를 강화하고 있다. 중국 정부는 시 주석의 주도하에 2017년 4월 초 베이징에 과도하게 집중된 기능을 분산시키고, 공기 오염 등 환경 문제를 해소하기 위해 베이징, 톈진, 허베이성의 중간지대에 있는 교통이 편리한 허베이성 내 지역 일대에 슝안신구 설립 계획을 발표했다.

그 밖에도 중국 정부는 자국 내 환경 문제가 심각하다 보니 국내적으로 엄격한 환경오염 기준을 운용하고 있다. 중국에 투자한 한국 기업도 현지 생산 공장에 대한 엄격한 환경 오염 기준의 적용을 받아 힘들어하지만 어쩔 수 없는 상황이다. 필자도 2015년 주 광저우 총영사관 부임시 한국에서 문제없이 사용하던 2012년형 국내산 차량을 반입하려다가 차량 환경 오염 기준에 미달한다고 해서 애로를 겪었다. 중국은 한국보다도 높은 환경 오염 기준을 적용하며 환경 문제에 적극적으로 대처하고 있다.

7 금융·외환·증시 불안

금융 시장의 불안

중국 금융 시장은 총 33조 달러 규모로 유럽의 전체 금융 시장을 합한 것보다도 크다. 그러나 과열된 부동산 시장과 부실 대출, 지방 정부의 채무 위험, 자본의 해외 유출, 위안화 평가절하 압력, 그림자 금융 등의 문제는 금융 시스템의 큰 압력이자 부담으로 작용하고 있다. 그중에서 어느 하나라도 폭발하게 되면 전체 금융 시스템의 안정성을 깰 위험이 크다.

중국은 글로벌 금융위기 이래 국내 경기 진작을 위해 신용 공급을 확대해온 결과 총 부채(정부, 기업, 가계) 규모가 GDP 대비 2008년 147%에서 2016년 약 260%로 급속히 증가했다. 국유기업 부실, 부동산 시장의 과열 등으로 2012년 이래 불량 채권 비율이 상승세를 보이고 있는데, 공식적으로는 2016년 1.7%이나 비공식적으로는 19%에 달한다는 주장도 있다.

중국 인민은행은 2016년 4분기에 전체 은행의 부실채권 비율이 2012년 이래 처음으로 하락해 불량 대출율의 상승 추세가 꺾이기 시작했다고 발표하면서, 중국인의 불안을 해소하기 위해 노력하고 있다. 또한, 중국 금융자산의 40%를 취급하고 있는 중국건설은행,

중국공상은행, 중국은행, 중국농업은행 등 4대 국유은행에서는 직원 해고 등 자체 구조 조정 노력도 병행하고 있다. 그러나 구체적으로 들여다보면 여전히 미봉책인 측면이 있는 것도 사실이다.

최근 3년간 중국 정부는 부실채권 처리를 위해 35개의 자산관리회사 설립을 승인했지만, 이들 자산관리회사는 은행에서 대출을 받아 부실채권을 사들이는 방식의 '도돌이표' 부실채권 처리 방식을 취하고 있다. 또한, 부실 회사가 자금 사정이 나빠지면 대출을 상환하는 대신에 자본금을 모으기 위해 주식을 발행하는 대출금 출자전환(debt-for-equity swap) 방식으로 부실채권을 처리하고 있다. 이 두 방식 모두 결국 은행에 부담으로 돌아오는데, 이는 결과적으로 중국의 GDP 대비 총 부채 비율이 260%까지 급격히 상승하게 된 배경이라고 할 수 있다. 최근 들어서도 중국의 지속적인 경제성장을 통해 그나마 부실채권 비율 상승을 억제하고는 있으나, 중국 금융 시장은 이미 상당히 위험 수준에 와 있다.

최근 중국 금융 시장에서 골칫거리로 거론되고 있으며, 조사기관에 따라 차이가 있으나 대략 GDP의 35~80%에 달하는 그림자 금융(Shadow Banking System)이 있다. 이 가운데 3조 5,000억 달러 규모의 자산관리상품(wealth management products)은 신탁회사가 만들고 은행이 판매하는 구조다. 이는 투자자에게 고금리를 약속하고 자금을 조달해 고위험-고수익 구조인 부동산 프로젝트 파이낸싱 및 주식 등에 투자하지만, 주로 신용도가 낮아 은행에서 정식 대출을 받기 어려운 기업들이 자금 차입 수단으로 이용하면서 은행 대차대조표에 기재되지 않는 그림자 금융의 주범이 되고 있다.

그림자 금융이란 은행의 장부 외 활동(Off-Balance Sheet Activity) 및 투자은행, 사모펀드, 헤지펀드 등과 같이 은행과 유사한 역할을 하면서 중앙은행의 규제나 감독을 받지 않는 비은행 금융기관에서 창출하는 신용을 총칭한다. 이들은 과도한 레버리지를 사용해 고수익-고위험 채권을 사고파는 과정에서 새로운 유동성을 창출하기도 하지만, 투자 대상의 구조가 복잡해서 손익이 투명하지 않다는 의미에서 그림자 금융이라고 한다. 중국에서 그림자 금융은 자산관리상품 외에 은행이 기업이나 개인의 돈을 받아 하는 위탁 대출, 사채 등의 민간 대출의 형태를 띠고 있다.

중국 그림자 금융의 규모는 선진국 그림자 금융이나 중국 전통 은행 시스템과 비교하면 크지 않은 편이라 단기적으로는 이것으로 인해 직접적인 금융위기를 가져올 가능성은 크지 않다. 그럼에도 중국 정부는 그림자 금융의 잠재적 문제와 리스크를 심각하게 인식하고, 이에 대한 규제를 강화하고 있다. 하지만, 규제 강화로 인해 중소은행들이 파산할 가능성도 제기되면서 유동성 위기에 대한 우려가 있어 중국 정부로서도 과감한 조치를 취하지 못하고 있다.

시 주석은 1997년 아시아 외환위기 이래 매 5년마다 총리 주재로 개최되던 '전국금융공작회의'를 2017년 7월에는 직접 주재하면서 금융 리스크 예방과 구조 조정을 위한 4대 원칙과 6대 주안점을 제시했다. 4대 원칙으로는 금융 본연의 기능인 실물경제 지원 강조, 금융 시스템 등 구조 개선, 금융 관리·감독 강화, 시장 지향적 발전 등이다. 6대 주안점으로는 금융의 실물경제 지원, 금융 리스크 예방, 금융개혁 심화, 국무원 산하 금융안정발전위원회 설립 추진, 금융개방의 점진적 확대, 금융에 대한 당 중앙의 지도 강화 등이다. 이것으로 중국 정부는 외부의 우려에 대해 금융 안정을 위한 강한 의지를 표출했다.

위안화 불안

중국 경제가 급성장한 기간인 2006년부터 2015년까지 9년간의 위안화 가치는 달러화에 비해 32%나 올랐다. 그러나 2016년 한 해만 보면 1년 내내 경기 침체와 미국의 금리 인상 움직임으로 위안화 가치는 오히려 하락했다. 2016년 초 달러당 6.2위안에서 2017년 1월에 6.95위안으로 최저치에 달했다. 그러나 2017년에는 트럼프 대통령의 중국 때리기(China Bashing)로 위안화 가치가 지속적으로 상승해 9월 11일 6.49로 연중 최고치를 기록했고, 2018년 들어서는 더욱 위안화 강세 추세를 보이는 등 위안화 환율 변동 폭이 크다.

중국의 외환 유출도 우려되고 있다. 외환 유출의 배경은 첫째, 미국의 금리 인상 움직임이다. 세계의 돈이 미화로 몰리는 것이다. 둘째, 중국의 해외 투자 확대에 있다. 셋째, 중국 부자들이 정부의 부동산 보유세 강화 방침에 따라 가능한 한 빨리 편법으로 해외로 자금을 이전하고 있다. 중국의 외환 보유고가 2014년 4조 달러 수준에서 2017년 초 3조 달러 이하로 떨어졌다가 2017년 2월 이후 다시 3조 달러를 약간 상회하는 수준이 되었다. 이로써 중국이 적극적으로 추진해왔던 위안화 국제화 조치도 지체될 수밖에 없는 상황이 되었다.

시 주석 집권 이후 중점을 두고 있는 위안화 국제화 전략은 중장기적으로 위안화를 기축통화로 만들고자 하는 구상이다. 중국 정부는 자본시장 개방, 국제금융기구 설립, 통화 스와프 체결 등의 노력과 대외무역 확대를 통해 위안화의 역외 공급량을 확대해 위안화의 국제적 지위 향상을 위해 노력하고 있다. 이는 미국이 대규모 무역적자로 달러가 끊임없이 해외로 유출되지만, 이를 중국 등 제3의 무역 흑자국들이 미국의 국채를 매입함으로써 달러가 다시 미국으로 재유입되는 과정을 거쳐, GDP의 6%에 달하는 막대한 경상수지 적자에도 미국 경제가 문제없이 유지되는 것에 착안한 것이다.

중국도 장기적으로 위안화를 달러화와 같이 유출과 재유입이 순환될 수 있는 통화로 만들어 명실공히 G1 국가가 되겠다는 원대한 포부를 갖게 된 것이다. 이러한 노력의 일환으로 중국 정부는 2016년 10월에는 국제통화기금(IMF)에서 자국의 위안화가 미국 달러, 유로, 일본 엔화, 영국 파운드화와 더불어 IMF의 특별인출권(SDR)을 구성하는 통화의 하나로 인정받았다.

위안화는 글로벌 무역 결제 수단으로 2009년 하반기부터 정식 활용되어, 2017년 6월 현재 세계 6대 지불결제통화, 3대 무역융자통화, 5대 외환거래통화로 성장했다. 그러나 위안화가 가야 할 길은 아직 멀다. 최근 영국 스탠다드차타드은행이 집계하는 위안화 국제화지수(Renminbi Globalization Index)는 2014년 3월 이래 최저치를 기록하고 있어 이는 위안화 가치의 불안정성, 세계 무역에서 위안화 무역결제 감소, 중국 당국의 엄격한 자본 해외 유출 통제 등이 주요 요인인 것으로 밝혀졌다.

예를 들어, 글로벌 결제 시장에서 위안화의 비중이 2015년 2.8%에서 2017년에는 오히려 2% 이하로 떨어졌다. 앞으로 위안화가 기축통화로 인정받기 위해서는 미국 달러에 대한 안정적인 가치 유지, 외국인이 위안화로 중국 주식 및 채권 시장 참여 용이, 투자자들의 신뢰 회복 등 기본적인 조건이 만들어져야만 할 것이다.

위안화 환율에 대해 외국 금융 기관이 의심의 눈초리를 보내는 경우도 많다. 중국 정부가 환율 시장에 직접 개입해 환율을 조정하고 있다면서 위안화 환율이 더 자율적이고 시장친화적인 방식으로 결정되도록 허용해야 한다고 강조한다.

위안화의 급격한 변화는 한국에도 위기 요소가 될 수 있다. 위안화의 가치 하락은 중국의 대외 수출을 증가시키고, 수입을 절감시키는데 기여하는데, 이는 한국의 대외 무역의 25%를 중국에 의존하는 대중 교역에 불안 요인으로 작용하기 때문이다. 중국 위안화 변동 역시 한국이 주의를 기울여야 할 대상이다.

증시 불안

2016년 말 중국 증시의 시가총액은 6조 5,000억 달러로 미국의 25조 6,000억 달러에 이어 세계 2위를 유지하고 있으나, 전 세계에서 그 비중은 11.1%에서 9.7%로 감소했다. 미국의 비중은 37.9%이며, 중국은 홍콩을 포함하면 15.6%에 달한다.

상하이주가지수는 2016년 1월 22.6% 급락한 후 반동 폭이 제한되면서 연간 12.3%나 하락해 여타 신흥국이 상승(평균 7.1%)한 것과 대조적인 변화를 보였다. 상하이 증시는 85% 이상이 개인 투자자로 구성되어 있어 증시의 규모에 비해 구조적으로 취약성을 내포하고 있다고 할 수 있다. 2017년 2월 들어 3,200p선을 넘어서면서 안정세를 찾았으나, 앞으로도 당분간은 중국 내 기업 부채 감축을 위한 구조 조정 및 한계 기업 정리 등에 따라 투자 심리 위축 등으로 본격적인 상승세로 전환하는 것은 쉽지 않아 보인다.

중국 정부는 증시 활성화와 중국 본토와 홍콩 간의 경제 발전 성과 공유 및 금융 협력 증진을 위해 상하이(滬)-홍콩(港) 증권거래소간, 선전(深)-홍콩(港) 증권거래소간 상호 투자를 가능케 하는 후강퉁(滬港通)과 선강퉁(深港通)을 각각 2014년 4월과 2016년 12월 정식 개통했다. 이로써 홍콩인들과 중국 내 최대 경제 도시인 상하이 및 선전 지역의 투자자들은 상대 지역 거래소에 상장된 주식 가운데 공고된 주식에 대해 투자가 가능하게 되었다.

상하이거래소는 대형 국유기업 중심의 주식이 많으며, 선전거래소는 IT, 소비재, 원자재, 의약, 에너지, 금융 등 업종의 비중이 높다. 실제 2014년 4월 후강퉁 개통시 주식시장 활황과 맞물려 주가가 급상승하는 효과가 있었지만, 주식 거품이 사라진 2016년 12월 선강퉁 개통시에는 투자자들이 신중한 태도를 취함에 따라 오히려 하락하는 경향을 보이기도 했다.

최근에는 중국 증권 시장에서 희소식이 있었다. 2017년 6월 과거 3년간 연기되었던 중국 A주식(상하이와 선전 주식시장에 상장된 내국인 전용 거래 주식)이 MSCI(모건스탠리 캐피탈 인터내셔널) 신흥시장지수에 편입되었다. 그동안 홍콩을 통한 중국 본토 주식으로 접근성 개선(후강퉁, 선강퉁)과 주식 거래 중단 빈도수 감소 노력 등이 편입 결정에 기여했다. 이 결정으로 세계 GDP의 15%를 차지하는 제2의 경제 대국인 중국의 자본시장이 글로벌 금융시장과 연계성을 확대해 글로벌 투자자금의 중국 주식시장 유입이 예상되며, 나아가 시진핑 정부가 추진 중인 위안화 국제화에도 기여할 것으로 전망된다.

8 비관세 장벽과 지식재산권 침해

중국 경제 의존도 심화

지금까지 국유기업과 부채, 부동산 시장의 거품화, 고령화 사회와 노동시장의 변화, 제조업 부진, 빈부 격차, 부패와 환경오염 문제, 금융·외환·증시의 불안 등 중국의 내재적 문제점을 살펴보았다. 이번에는 한중 경제·통상 관계 혹은 기업과 개인의 대중국 비즈니스에서 존재하는 문제점 가운데 한국에 영향을 줄 수 있는 몇 가지 대표적인 리스크에 대해 생각해보자.

첫째는 한국 경제의 지나친 중국 의존도 심화에서 부딪히는 문제점이다. 둘째와 셋째는 중국 경제가 시장경제 체제에 본격적으로 참여한 이래 한국 기업들이 자주 피해를 보는 비관세 장벽과 지식재산권 침해 현상이다.

한국 정부의 2016년 7월 사드 배치 결정 이후 중국의 보복 조치가 경제적 측면에서 한국에 준 교훈이라고 한다면 다음과 같다. 첫째, 한국은 대외 경제·통상 관계의 다변화를 통해 대중국 경제 의존도를 낮추어야 한다. 둘째, 한국 경제가 훨씬 더 강해져서 누구도 함부로 건드릴 수 없게 만들어야 한다. 현재 한국 경제의 중국 시장 의존도는 무역에서 $\frac{1}{4}$ 이상, 사드 배치로 인한 보복 조치 이전까지 관광 등 인적 교류 분야에서는 거의 ½ 육박, 문화 시장 진출 측면에서 ½ 이상에 달하는 등 매우 심각한 수준이다.

사드 배치에 대한 보복

한국의 사드 배치 결정 이후 중국의 보복 조치는 한국 기업이 중국 시장에서 기업을 경영하는 데 얼마나 많은 리스크를 갖고 있는지 잘 보여주는 사례였다. 2016년 7월 이후 중국 중앙정부는 1차적으로 한국 정부의 사드 배치 결정으로 한중간 교류 협력이 중국 국민들의 민심을 좋지 않게 자극해 한중 관계가 영향을 받고 있다고 하면서, 단계적으로 경제 분야를 포함한 보복 조치를 취할 것이라는 식으로 정보를 흘렸다.

2017년 3월 한미간 사드 배치 부지 확정 발표 이후에는 보복 조치의 단계를 격상시켜 부지를 제공키로 한 롯데그룹에 대해서는 중국 내 영업을 제한하고, 중국 관광객들의 방한을 제한하기 위해 여행사의 단체 여행객 모집을 금지시키고, 공적으로나 사적으로나 양국간 문화 교류를 사실상 중단시켰다. 이러한 중국 정부의 분위기에 따라, 중국 지방정부나 기업도 덩달아 한국과의 무역이나 투자 협상과 같은 경제활동뿐 아니라, 문화·공연 등 인적 교류 행사 등을 취소하면서 중국에 진출한 한국 기업 및 국민의 활동을 크게 위축시켰다. 그 결과 한중 관계가 전반적으로 크게 정체 및 후퇴됨으로써 1992년 수교 이래 최악의 관계가 되었다.

예를 들어, 중국 정부가 사드 부지를 제공한 롯데그룹에 대해 세무, 소방, 위생 조사를 불시에 시행한다든지, 롯데마트 상품 불매 분위기 조성으로 결국 롯데마트는 중국에서 철수하기에 이르렀다. 한국의 방향성 전기강판에 대한 반덤핑 상계 관세를 예비 조사 판정보다 높은 세율로 부과하거나, 중국 기업들에 포스코 철강을 꼭 써야 하는지 물으며 사용 자제를 권유하기도 했다. 베이징현대자동차와 현지 부품업체 간의 갈등으로 공장 가동의 중단과 재개를 반복했으며, 전자상거래 쇼핑몰인 타오바오나 티몰(T-mall)이 한국 상품의 신규 입점을 거절한다든지 하는 등 각종 비관세 조치의 수단을 공공연히 활용해왔다.

게다가, 문화·관광 분야에서도 뚜렷한 보복 조치를 시행했다. 예를 들어 한중간 영화나 드라마 공동제작 중단, 한류 스타들의 공연은 물론 나아가 조수미, 백건우 등의 순수 음악인에 대해서도 오래전에 예약된 공연을 취소시키는 등의 한한령(限韓令)을 내렸다. 전세기 운항을 불허하거나 단체 관광객을 초기에는 20% 감축하라고 하다가 나중에는 전면 금지시키는 지침을 은밀히 각 지방정부 및 여행사들에 내려 방한 중국인을 제한하는 조치를 취해왔다. 이러한 조치들은 단순히 사드 배치에 따른 정치·경제적 보복 조치 측면 외에도 이를 계기로 한류 등 한국 문화의 침투와 자국 관련 산업과 기업을 보호하기 위한 계산적 측면도 아울러 내포되어 있는 것으로 보인다.

한국의 사드 배치 결정에 대한 중국의 보복 조치는 경제적 효과를 위한 비관세적 조치이기도 하다. 하지만 사실은 경제적 조치라기보다는 동북아시아에서 G2간 정치·안보·군사·외교적 관계에서 중국의 전략적 측면을 고려한 보복 조치라고 보는 편이 옳다. 이는 일반적인 경제적 비관세 조치와는 차이가 있어 해결의 실마리를 찾기가 용이치 않다. 그러나 한국에게 있어 대중 관계는 싫든 좋든 대체할 수 없을만큼 중요하다. 이제는 정치적으로든 경제적으로든 외면할 수 없는 관계가 되었다.

사드 보복 조치와 관련해서 중국 정부는 북한의 핵 위협이라는 분명하고 불가피한 배경을 고려하여 대국답게 중·장기적 시각으로 한중 관계, 나아가 동북아시아 관계를 보아야 했다. 늦었지만, 2017년 10월 31일 한중 양국이 사드 문제에 관한 협의 결과를 공동 발표하고, 모든 분야에서 교류 협력을 정상적인 발전 궤도로 조속히 회복시켜 나가기로 합의한 것은 다행스러운 일이다.

한국도 관계의 중요성에 비추어 중국과의 대화 노력을 더욱 강화해야 할 것이다. 개인 간의 관계에서도 그러하듯 이유가 어떠하든지 상대가 싫어하는 일을 할 수밖에 없을 때에는 상당한 배려를 거듭했어야만 했다. 2016년 7월 당시 한국 정부의 사드 배치 결정 과정에서는 그러한 배려가 중국의 기대에 미치지 못했던 것이 사실이다. 그러나 비 온 뒤 땅이 더 굳어진다는 말이 있듯 밝은 미래가 올 것을 기대한다.

중국의 사드 보복 조치의 근저에는 체면을 중시하는 중국인의 문화적 배경도 숨어 있다. 중국인에게 체면은 매우 중요하다. 역사적으로 단체의식이 강한 중국인으로서는 체면을 상실하면 소속 단체에서 외면당한다. 개인의식이 강한 서양과는 달리 중국에서 혼자 산다는 것은 죽음과 같은 것이기 때문에 체면은 버릴 수 없는 것이다. 중국은 자신들이 세계의 중심이라는 세계관을 갖고 있으며, 은연중에 주변국인 한국이 중국의 이해를 저버리고 중국의 이익에 반하는 행동을 했다는 것 자체가 자신의 체면을 공격한 것이라고 생각하는 경향이 있다.

중국이 체면과 무관하게 국가 안보적 차원에서 한국에 보복 조치를 하는 것이라면, 사실 한국보다는 미국을 상대해야 옳으며, 아니면 한국에 대하는 것과 똑같이 사드 배치를 주도하고 있는 미국에 대해서도 공개적인 불만을 표시하고 직접적인 보복 조치를 가해야 하는 것이 마땅하다. 그러나 중국이 미국에 대해 사드 문제로 정치적으로나 경제적으로 보복 조치를 취하고 있다는 징후는 어디에도 없었다.

중국이 한국에 대해 보복 조치를 취하는 것은 다분히 중국의 체면이라는 뿌리 깊은 문화적 배경과 연관이 있다. 엄밀히 말하면 중국은 미국이 한반도에 사드를 배치하는 것은 감내할 수 있어도, 한국이 그것을 허용하는 것은 용인할 수 없다는 모순된 주장을 하는 것이다.

또한, 중국인은 은혜든 원수든 반드시 갚아야 한다는 문화적 배경을 갖고 있다. 갚는 정도(중국말로는 '허우궈[後果]'라고 한다)는 받은 것보다 커야 한다고 생각한다.

사드 배치의 당사자 중 하나였던 롯데그룹의 중국 롯데마트가 결국 문을 닫게 되었지만, 그나마 우리가 그동안 갖춘 저력으로 이만큼 버텨올 수 있었던 것이다. 21세기를 사는 우리는 한중 관계가 한미 관계 못지않게 중요하다는 사실을 인정해야 한다. 이런 시기에 이웃 나라 중국과의 관계를 획기적으로 개선할 필요가 있기 때문에, 앞으로 양국 관계의 봉합 과정에서도 신중하고 적극적인 노력이 필요하다. 물론, 중국 정부도 중·장기적으로 자국의 이익이 어디에 있는지를 잘 헤아려야 한다. 한중 관계에서 한국 정부의 탁월한 외교력을 기대하면서, 스스로 강해지는 것 이외에는 더 좋은 방법이 없음을 새삼 실감한다.

다양한 비관세 조치

국가간 무역은 기본적으로 각국의 산업간 비교우위에 의해 수출하거나 수입하면서 이뤄진다. 각 나라는 상대적으로 더 경쟁력 있는 산업에 집중하고, 다른 국가와 수출 또는 수입하는 것이 서로에게 유리하다고 하는 비교우위론에 입각한다. 그러나 일부 분야는 국방 목적, 자국민 보호, 혹은 제한된 자원 보호 등을 위해 완전 자유무역보다는 일정 부분을 통제하며 교역한다. 가장 일반적으로 활용되는 통제수단은 바로 수입물품에 관세를 부과하는 것이다.

그러나 관세가 아닌 여타의 통제 수단으로 외국 물품이나 서비스 진출을 방해하는 조치를 통칭해 비관세 조치 또는 비관세 장벽이라고 한다. 비관세 장벽이란 관세 이외의 방법으로 외국의 수입을 제한하는 것으로 통관을 까다롭게 한다든지, 위생이나 검역을 이유로 수량을 통제한다든지, 기술 장벽을 높인다든지 해서 외국의 수입품이 들어오지 못하도록 막아 자국 상품을 보호하는 조치를 말한다.

한중 교역 규모에 비추어 한국 상품에 대한 비관세 장벽은 중국에서 제일 많이 존재하는 것이 사실이다. 중국의 비관세 장벽은 크게 둘로 나뉜다. 하나는 한국 기업의 대중국 상품 수출시 기술 장벽이나 위생 혹은 검역을 이유로 통관 절차나 인허가를 까다롭게 하는 것이다. 또 하나는 대중국 투자기업이 중국에서 사업을 할 때 지분 참여를 제한하거나 중국산 제품의 우선 구매 원칙을 내세우거나, 세무와 위생 및 소방 관련 검사를 강화하는 등의 방법으로 시장 진입 장벽을 두기도 한다.

중국이 복잡하고 모호한 규정을 두거나, 규정을 자주 바꾸는 것도 비관세 조치의 일종이다. 중국에 진출한 기업들은 이러한 비관세 조치로 기업 경영에 애로를 많이 겪고 있으며, 기업의 존망에 영향을 주기도 한다.

최근 한중간의 중요한 사례를 보면, 삼성SDI와 LG화학은 신에너지 자동차 산업을 육성하는 중국 정책에 맞추어 각각 2억 달러와 1억 3,000만 달러를 중국 내 전기자동차 배터리 공장 설립에 투자했다. 그러나 생산 개시 직후 갑자기 중국 정부는 삼원계(三元系) 배터리(리튬이온 배터리는 양극재, 음극재, 분리막 등으로 구성되는데, 이 중 니켈, 카드뮴, 망간 등 3가지 물질을 섞어서 양극재를 만들면 이를 삼원계 배터리라고 한다)를 사용한 전기버스를 보조금 대상에서 제외하기로 결정해 채산을 맞출 수가 없어 공장 가동이 중단되었다.

중국 정부의 조치는 축구 경기 도중 예고 없이 골포스트 위치를 바꾸는 것과 비슷하다. 이 조치는 2016년 7월 사드 배치 결정 이전인 2016년 상반기에 나온 것이라서 사드 배치 결정에 대한 보복 조치라기보다는 중국산 배터리 산업 보호 차원의 비관세 조치였다.

이러한 비관세 조치를 당장 없앨 수는 없다. 기업은 중국에 진출할 때 충분한 사전 지식을 갖추는 것이 중요하고, 어느 한 분야나 파트너에 올인하는 식이 아니라 위험을 분산해 투자를 결정하는 방안을 강구하는 것이 안전하다.

한국 정부는 한중 FTA 이행 과정에서 중국에 각종 비관세 장벽 철폐를 끈질기게 요구하고, 나아가 FTA 후속 협상을 통해 가능한 한 협정문상 비관세 조치에 대한 권고조항을 강제조항으로 개정하는 노력도 병행해야 할 것이다.

진짜보다도 더 진짜 같은 짝퉁

중국의 박물관에 전시된 전통 공예품을 보면 매우 섬세하다는 것을 알 수 있다. 예를 들어, 젠즈(剪紙)라고 해서 가위로 종이를 오려 대상의 섬세한 부분까지 표현한 것이나, 병목이 협소한 유리병 속에 세밀한 그림을 그린 것을 보면 정교함의 극치다.

이러한 전통적 재능과 기술을 타고나서 그런지 중국의 짝퉁은 진짜와 구별하기가 정말 어렵다. 진짜 같은 짝퉁, 웬만한 진짜보다 나은 짝퉁이다. 중국에서 짝퉁의 범위는 서구의 유명 브랜드 상품부터 전자제품, 골동품에 이르기까지 다양하다.

그러나 중국도 이제 좋은 물건을 많이 만들다 보니, 중국산 짝퉁이 자국 상품의 이미지 추락으로 이어져 품질 좋은 자국 제품에 대해서도 제값을 못 받는 상황(Chinese Discount)이 발생하기 시작했다. 결국 짝퉁이 자국 경제에도 좋지 않다는 것을 인식하고 지식재산권 침해 단속을 강화하고 있다. 그래도 넓고 다양한 사람들이 사는 중국에는 아직도 짝퉁 물건을 포함하여 다양한 형태의 지식재산권 침해 사례가 빈번하게 발생하고 있어, 한국 기업은 이에 대해 철저한 주의를 기울일 필요가 있다.

중국에서 피해를 보는 한국 기업의 사례를 보면, 가장 많은 것이 상표 브로커에 의한 피해다. 한국에서 잘나가는 상표가 있으면 중국 내 상표 브로커가 미리 한국의 동일한 상표를 무단으로 중국 당국에 선점해 등록한다. 시간이 흘러 한국 상표가 중국에 진출해 돈벌이가 되면 갑자기 나타나 이미 등록해둔 자신의 상표권이 침해당했다고 소송을 걸고 금전을 요구한다.

중국의 어느 조선족 동포는 조직적인 상표권 장사를 위해 정식 회사까지 차리고 잠재력 있는 한국의 크고 작은 상표들을 중국 당국에

값싼 비용으로 등록해놓았다. 그리고 한국 상품이 중국 시장에 진출할 때마다 우리 돈으로 수백만 원에서 수천만 원을 요구하고 있다. 법적으로 하자가 없어 뭐라고 할 수도 없는 처지다. 한국 기업만 골탕 먹기 일쑤다. 한국 특허청 조사에 의하면, 2016년 한 해 동안 31명의 상표 브로커에게서 한국 기업 211개사의 361개 상표권이 침해받았다고 한다. 중국에 진출을 염두에 두는 기업은 반드시 이 점을 알고 주의해야 한다.

두 번째로 자주 볼 수 있는 침해 사례는 인터넷몰에 위조 상품을 유통시키는 행위다. 예를 들면, 중국 알리바바 계열의 인터넷몰 타오바오에 한국 상품이라고 하면서 중국산 위조 상품을 게재해 판매하는 행위다. 특허청에서는 이것을 방지하기 위해 알리바바 내 위조 상품에 대한 모니터링을 실시해 2016년 한 해 동안 1만 9,621건의 위조 상품 게시물을 삭제했다.

타오바오뿐 아니라, 징둥 등 중국 내 각종 인터넷몰에서 흔히 일어나는 일이다. 알리바바도 자체 및 경찰과 협력해 짝퉁을 단속하고 있는데, 2016년에 짝퉁 상품 은닉처 1,419곳을 적발해 880명의 범죄 혐의자를 체포했다고 발표했다. 그런데 10대 짝퉁 단속 사례에 삼성전자의 램(RAM) 제품도 포함되어 있어 충격을 주고 있다.

이러한 지식재산권 침해 리스크를 줄이기 위해서는 우선 특허청의 안내를 받아볼 필요가 있다. 피해를 보았다면 한국 대사관이나 관할 총영사관에 신속히 문의해야 한다. 특허청에서 만든 '중국 진출 기업을 위한 중국 지재권 활용 및 보호 가이드'의 일부 내용을 보면 다음과 같다.

"중국은 지방에 따라 언어, 정서, 상관습 등이 상당히 다르고, 지방 법원마다 판결 결과가 상이하며, 중국 국내 기업에 대한 보호주의가 만연하고 있어 중국에 진출한 우리 기업에 큰 장벽으로 작용한다. 중국 시장에 진출하는 한국 기업이 중국에서의 특허권이나 상표권을 중국 파트너 기업 명의로 등록하는 것을 종종 볼 수 있는데, 사업을 하다 보면 중국 파트너 교체 등 경영 변화가 필요할 경우가 있으므로 중국에서의 특허권과 상표권은 한국 기업 명의로 확보해야 한다."

이어서 상표 브로커 등에 대한 주의를 주고 있다.

"우리나라는 중국 수출 1위 국가이나 상표 출원은 7위에 불과한 바, '선 수출, 후 상표 확보' 관행을 바꿔야 한다. 즉, 중국에 진출하기 전에 중국 현지에서 상표권을 먼저 확보하는 것이 상표 브로커, 경쟁사 등의 무단 선 등록을 막을 수 있는 근본적인 해결책이다. 또한, 상표 등록에 있어서 중국은 모든 외래어를 중국어로 대체하여 사용하므로 중국 시장에 성공적으로 진출하기 위해서는 중국인들에게 친숙한 중문 브랜드 네이밍이 중요하다. 왜냐하면, 한글 상표는 중국에서 문자로서 인식하지 못하고, 영문 상표는 인식은 하지만 영문대로 출원하면 유사한 발음의 중국어 상표로 도용이 될 가능성이 높기 때문이다."

제 3 부

중국 경제가 한국에 주는 기회

우리는 제1부에서 부상하는 중국 경제의 활력을 보면서, 그 힘의 작용에 따라 한국에 위협이 될 수 있다는 사실을 알았다. 제2부에서는 중국 경제에 내재된 위험 요소와 한중간 경제 교류에서 장애가 되는 대표적인 사안 몇 가지를 살펴보았다. 제3부에서는 중국의 위협과 문제점뿐 아니라 거대한 시장을 가진 중국에서 한국은 어떤 기회를 가질 수 있으며, 어떻게 그 기회를 잡을 수 있을지에 대해 살펴보자.

지난 25년간의 성적표

1992년 한중 수교 이후 지난 25년간 중국 경제는 실제로 한국에 많은 기회를 주었다. 1995년 한국이 선진국 그룹인 경제협력개발기

한중 수교를 전후로 한 양국 관계의 흐름

한중 관계의 역사는 수천 년을 거슬러 올라가야만 할 것이다. 그러나 여기에서는 제2차 세계대전 종전 이후의 한중 관계 흐름을 간략히 정리했다.

1. 한중 수교 이전

제2차 세계대전 후 냉전 시기(1945~1977년)
- 1945년: 남북 분단과 1949년 중국 통일에 의한 신중국 성립
- 1950~1953년: 한국전쟁
- 1961년: 중조(북한)우호협조 및 상호원조 조약 체결 – 순치(脣齒)관계
- 1969년: 닉슨독트린 – 중미 관계 개선, 중소간 사회주의권 분열
- 1973년: 한국 정부의 6·23선언 – 평화통일외교정책 선언

중국의 개혁개방과 국제정세 변화(1978~1991년)
- 한중간 비공식 접촉과 교류 증대
- 1983년 5월: 선양–상하이 구간 비행 중이던 중국 민항기 납치 사건 계기로 한중 접촉
- 1986년: 서울 아시아게임 및 1988년 서울올림픽 계기로 한중 교류 심화
- 1991년: 한중 상호 무역대표부 설치
- 1991년 9월: 남북한 유엔 동시 가입 – 중국이 한국의 존재를 정식으로 인정
- 1992년 8월 24일: 한중 수교

2. 한중 수교 이후

수교 직후 동반자 관계 발전 시기
- 무역·투자 등 경제 분야, 인적 교류를 중심으로 한중 협력 심화
- 1993년: 북한 핵확산금지조약(NPT) 탈퇴 선언 등 북한 핵문제 대두
- 1998년 11월: 김대중 대통령 방중 – 21세기를 향한 협력동반자관계 설정
- 2003년 7월: 노무현 대통령 방중 – 전면적 협력동반자관계 설정

2003~2004년 부분별 한중간 마찰 노정 시작
- 고구려사 왜곡 문제 대두
- 수입 식품 위생 문제, 마늘 분쟁 등

2008년 이후 양국 관계 심화 발전
- 2008년: 이명박 대통령 방중 – 전략적 협력동반자관계 설정
- 무역 3,000억 달러, 투자 2,000억 달러, 인적 교류 1,000만 명 시대 선언(인적 교류 외에는 아직 무역 및 투자 목표 미달성)
- 한류와 한풍 유행, 한중 유학생 교류 각각 약 7만 명 초과
- 2015년 12월 한중 FTA 체결

2016년 7월 한국의 사드 배치 결정 이후 양국 관계 일부 동결
- 한중 정부간 공식 교류 제한, 한중 인문·문화 교류 제한
- 중국인 단체 관광에 대한 사실상 금지
- 롯데마트 등 롯데그룹의 중국 내 영업 제한

2017년 10월 중국의 제19차 당대회 이후 한중 관계 개선
- 한중 정부, 한중 관계 개선 관련 양국간 협의 결과 발표(2017년 10월 31일)
- 한중 정상회담 연속 개최(2017년 11월 및 12월)

구(OECD)에 가입한 이후, 1997년 아시아 금융위기에도 모멘텀을 잃지 않고 양적으로나 질적으로 지속적인 성장을 할 수 있었다. 그 버팀목은 아마도 중국보다 앞서 나간 선진기술로 무장한 한국 기업들이 급격하게 발전하는 중국 시장에서 큰 문화적 충돌 없이 사업을 할 수 있었기 때문이다.

광활한 시장, 값싼 노동력, 중국 정부의 투자 유치를 위한 인센티브 등에 끌려 많은 기업과 개인이 중국에 진출했다. 중국은 수교 이후 2007년까지 한국의 제1의 직접 투자 대상국이었다. 이후 중국의 법인세 우대 폐지 등으로 중국은 미국에 직접 투자 대상국 1위의 자리를 내주었으나, 여전히 한국의 제2의 직접 투자 대상국 지위를 유지하고 있다.

2016년 중국은 한국 해외투자의 9.4%를 차지하고 있으며, 미국은 36.6%로 1위를 차지하고 있다. 한국의 대중 투자 내용을 보면, 제조업 분야가 전체 투자의 약 75%를 차지하고 있다. 지역적으로는 역시 전체 투자의 약 70%가 동부 연안 지역에 집중되어 있다.

그러나 한중 수교 이후 26년이 지난 지금, 중국은 급속한 경제 발전을 이루었고 이에 따라 제조업 분야에서 한국의 대(對)중국 경쟁 우위는 거의 사라졌다. 지난 5년간의 추이만을 보더라도, 2012년 삼성전자 스마트폰이 17.7%로 중국 시장점유율 1위를 기록했으나, 2017년 1분기에는 3.1%로 대폭 추락해 점유율 8위(1~3위는 중국 화웨이, 오포, 비보로 각각 18.9%, 18.7%, 16.8%)로 내려왔다. 현대기아

자동차 역시 2012년 시장점유율이 8.6%였으나 2017년 상반기에 3.8%(상하이, 둥펑, 이치, 창안 등 중국산 점유율이 46.1%, 유럽산 21.4%, 일본산 17.6%)로 급락했다.

전 세계 TV 시장에서는 아직 1위를 고수하고 있는 삼성전자 TV도 중국 시장에서는 2017년 1분기에 점유율 3.9%로 10위(1~9위는 TCL, 하이센스, 스카이워스 등 모두 중국 기업 차지)로 처졌다. 이는 중국 기업들의 생산 시스템 혁신, 자체 브랜드 개발 강화, 기술력 향상 등으로 중국 브랜드가 중국 내에서뿐 아니라 미국, 유럽 등 해외 시장에서도 환영을 받고 한국의 자리를 밀어낼 만큼 성장했기 때문이다.

오늘날 중국 기업들이 기술적으로도 한국의 목전에 와 있거나 이미 능가하고 있는 상황이지만, 싫든 좋든 한국은 이웃에 있는 거대한 중국 시장을 외면할 수 없다. 그러면 거대한 중국 시장은 앞으로 한국에 어떠한 기회를 줄 것이며, 한국은 중국 시장을 어떻게 공략해나가야 할 것인가?

중국 진출 전략의 재정비

지난 25년간은 자본과 기술력으로 중국 시장을 공략했다고 한다면, 앞으로는 첨단 기술을 기반으로 한 혁신 제품만이 중국 시장에서 통하게 될 것이다. 또한, 서비스 분야에서 중국과는 차별화된 전략을 갖고 부가가치를 제고해야만 할 것이다.

한국의 대중국 투자도 반도체, 디스플레이, 석유화학 등 경쟁력

우위에 있는 제조업 분야를 견지하는 한편, 금융·보험업, 도·소매업 등 내수 시장 진출 확대를 꾀하고, 동부 연안 지역뿐 아니라 개발 여지가 큰 중서부 지역에 적극적인 진출을 확대해나가야 한다.

또한, 중국은 이미 한국의 상품을 거의 다 만들어내고 있어 이들과의 경쟁은 불가능한 시대가 되었다. 한국은 기술력 우위를 갖고 있는 반도체와 디스플레이 등 일부 첨단 제조업과 제4차 산업혁명 시대에 부응하는 빅데이터, 사물인터넷, 클라우드, 모바일 플랫폼, 신재생에너지 등 분야로 대중국 투자를 확대하면서 새로운 기회를 모색해야 한다.

그 밖에는 도시화, 일대일로, 인터넷 플러스 정책 등 중국 정부가 추진하고 있는 각종 경제·사회 정책에 적극적으로 참여하거나 이러한 정책을 잘 활용해 거대 중국 시장과 제3국 시장에서 기회를 찾아야 한다.

한국은 1인당 국민소득 3만 달러를 달성하는 과정에서 터득한 노하우와 세련미를 활용해 아직은 디테일(detail)에 약한 중국 시장에서 패션 의류·뷰티 상품 등의 소비재 상품과 드라마·게임 등 엔터테인먼트 산업, 건강·의료 등 가격 탄력성이 낮은 서비스 시장에서 경쟁력을 확보해야 한다. 중국의 1선 도시뿐만 아니라 새로운 기회의 땅으로 부상하고 있는 내륙 2~3선 도시로의 진출도 모색해야 한다.

필자는 중국에 살면서 연말이 되면 거리의 보도블록 교체 공사를 자주 보았다. 과거 한국이 그랬듯이, 연말에 남은 예산을 소진하기 위한 공사인지 모르겠다. 하지만 재미있는 것은 공사를 며칠간 한바탕 한 다음, 또 며칠이 지나지 않아 블록과 블록 사이 이가 맞지 않아 블록을 다시 뜯는 공사를 한다는 것이다. 이처럼 아직은 디테일 면에서 한국이 중국에 앞서 있다. 곳곳에 숨어 있는 한국의 경쟁력을 살려 거대한 중국 시장에 제품과 서비스를 팔아야 한다. 그래야만 한국이 살 수 있다.

2016년 7월 사드 보복 조치 이후 중국 시장에서 한국 기업들이 어려움을 겪었던 것은 주지의 사실이다. 그러나 사드 배치로 인한 중국의 보복 조치는 자본재와 중간재보다는 사실상 소비재에 한해 영향을 미쳤다. 또한 중국은 중국 제조 2025 전략에서 볼 수 있듯이, 사드 배치 이전부터 한국이 우위를 차지하고 있던 분야 외의 첨단 산업 분야에서의 협력에 소극적이었다. 필자가 19년 전 베이징에 부임했을 때 중국은 한국의 기술력과 경제 발전 수준을 선망의 눈초리로 보았다. 당시 중국은 북한의 만류를 뿌리치고 한국과 수교를 결정하고, 남북 문제나 통일 문제에서 한국의 의견을 존중해왔다.

그러나 중국이 G1 국가를 향해 나아갈수록 점점 더 한국과 멀어져갔다. 중국이 한국을 얕보지 않도록 한국은 스스로 분발하고 중국 시장이 주는 기회를 살려 다시 일어서야 한다.

과거에는 중국 시장 진출을 위해 관시가 중요하다거나 법(法)을 준수하는 것이 중요하다는 등의 논의가 있었다. 이제는 관시도 법 준수도 중요하지만 기술력과 창의력을 겸비한 경쟁력만이 살 길이라는 일념으로 나가야 한다. 이를 위해 범국가적으로 정부, 관계 기관, 민간업계 등이 함께 한국 경제를 혁신적으로 발전시켜야 하고, 한국의 최대 시장인 중국 시장 진출 전략을 재정비하는 것이 시급하다.

제3부에서는 중국 시장이 한국에게 주는 유익함과 중국 시장에서 갖는 한국의 장점을 분석하고, 중국 시장 진출을 위한 한국의 새로운 전략에 대해 논의하고자 한다. 또한 한국이 경쟁력을 갖고 중국에 진출할 수 있는 구체적인 산업 분야의 사례를 하나하나 살펴보기로 한다. 단, 여기에 언급하는 한국의 장점, 전략, 진출 가능 산업 분야 등은 지면상의 이유로 일부 사례만을 열거한 것이다. 이외에도 한국의 다양한 장점을 바탕으로 여러 가지 전략을 확보해 중국 시장에 진출할 수 있는 분야가 더 많을 것이라 생각한다.

1 런타이뒤 - 무시할 수 없는 세계 최대 시장

시장의 힘

조정래의 장편소설 『정글만리』를 보면, 곳곳에 런타이둬(人太多)라는 말이 자주 나온다. 중국에는 어디를 가나 사람이 너무 많다는 말이다. 공식적으로는 13억 7,000만 명이지만 실제로는 더 많은 것으로 알려졌다. 그래서 그런지 최근 중국 사람들이 이전에 먹지 않던 버터를 먹기 시작하니, 지구 반대편에서 생산되는 버터의 원재료값이 올랐다고 한다. 또한 중국 사람들이 그동안 먹지 않았던 아보카도를 먹기 시작하니, 멕시코산 아보카도 가격이 급등했다고 한다. 비즈니스에서 시장 규모는 중요한 요소다. 중국에서 태어나는 신생아 수가 2016년 1,786만 명으로 한국 전체 인구의 $\frac{1}{3}$을 상회한다. 중국에서 최근 3년간 태어난 신생아 수만 합쳐도 한국 전체 인구보다 많다는 말이다.

중국 자동차공업협회가 발표한 2016년 한 해 신차 판매대수는 2,803만 대다. 자동차 대국 미국 시장보다도 약 1,000만 대나 더 팔렸다. 한국 자동차 시장이 연간 170~180만 대를 판매하니 중국 시장이 얼마나 큰지 알 수 있다. 중국 시장은 조만간 3,500만 대까지 증가할 것으로 전망된다. 반면, 한국 자동차 시장은 정체를 보이고 있어 머지않아 한국 자동차 시장의 20배가 될 것으로 보인다. 중국과 같은 거대시장이 바로 옆에 있다는 것은 한국에게 축복의 기회다. 1992년 8월 한중 수교 이래 한국은 이러한 점을 나름 잘 활용해 왔다.

최근 모바일 시대를 맞이해 시장 규모가 비즈니스에서 얼마나 중요한지를 보여주는 또 다른 예가 있다. 중국에서는 인터넷을 이용한 모바일 비즈니스가 유행하고 있는데, 그중 모바일 독서 앱(app)으로 받는 전자책(e-book)도 큰 인기를 끄는 비즈니스가 되었다. 중국에서 전자책을 이용하는 독자가 무려 6억 명이나 되고, 제1위 전자책 기업인 텐센트 계열의 차이나 리딩(China Reading) 회사가 400만 명의 작가와 계약을 맺었다고 한다. 앱을 통해 작품 한 편을 내려 받는 데 한국 돈으로 약 1,700원이 든다.

차이나 리딩만을 생각해보아도 400만 명의 작가가 총 1,000만 편의 작품을 올렸고, 이를 매일 가입자의 절반인 약 3억 명이 1,700원을 지불하고 읽는다고 하니 이 거대시장에서 발생하는 매출과 이로 인한 경제 효과는 실로 상상을 초월한다. 한국의 독서 시장과 비교할 때 엄청나게 큰 시장이 사이버 공간에서 형성되고 있는 것이다. 물론 극심한 경쟁에서 적자만이 살아남는 구조인데, 살아남는 회사나 작가들은 일약 백만장자가 된다. 이것이 시장의 힘이다.

거대한 시장 규모는 중국 경제의 강점이며 무기이기도 하지만, 지리적으로 가깝고 문화적으로 유사하며 이미 많은 투자를 하고 있는 한국에게 큰 기회임이 틀림없다.

중국은 뉴노멀 시대를 맞이해 성장 전략을 변화해가는 과정에 있다. 한국은 그 변화의 흐름을 잘 읽어 기회를 놓쳐서는 안 된다. 한국은 우선 반도체, 디스플레이, 석유화학 등의 분야에서 지금까지 가져온 경쟁력을 지속적으로 살리고 유지해야 한다. 그리고 중국의 내수, 소비재, 서비스 중심의 성장 전략을 활용해 자동차, 식음료, 의료기기, 화장품 등 소비재 수출을 늘리고, 중국 시장 내 유통채널을 확대해나가야 한다. 중국이 제조업에서 서비스 산업으로 성장 전략을 다양화시켜 나가는 변화를 활용하여 건강, 의료, 양로, 교육, 게임, 엔터테인먼트, 콘텐츠 산업 등에서도 진출을 확대해야 할 것이다.

녹색·환경 중시 정책을 활용한다면 에너지 절약과 친환경 녹색성장 관련 설비 및 소재 수출을 강화해나갈 수도 있다. 가공무역 중심에서 산업구조 고도화를 추진하는 중국의 흐름을 타고 한중 기술개발 협력도 최대한 강화해나가야 할 것이다.

구매력을 지닌 거대한 시장이 바로 옆에 있다. 특히, 중국 경제성장의 핵심 엔진인 동부 연안 지역은 지리적으로 가까워서 물류비용 면에서 제3국에 비해 큰 우위를 점할 수 있으므로 이 기회를 놓쳐서는 안 된다.

중국 중산층의 확대

중국의 중산층은 2000년 이후 지속적인 고도성장에 힘입어 급속히 확대되었다. 절대 빈국이었던 중국이 수십 년 만에 중진국 대열에 합류한 것이다. 필자가 1999년 처음으로 중국 땅을 밟았을 때 그 전년도인 1998년 1인당 GDP가 600달러 수준이었던 것으로 기억한다. 그러나 20년이 지난 지금은 8,500달러를 상회하고 있다. 14배가 증가한 것이다. 물론 환율 변동의 덕을 보았기 때문이기도 하다.

중국의 중산층을 정의하는 기준은 여럿 있다. 연소득 9,000달러에서 3만 4,000달러 범위를 중산층으로 볼 때는 중국 인구의 60%가 중산층이라고 한다. 영국의 주간지 「이코노미스트」 산하 분석기관의 기준인 연소득 1만 1,500달러에서 4만 3,000달러 범위로 보면, 2016년 현재 2억 2,500만 명이 중산층으로 전체 인구의 16.4%에 해당한다. 후자의 기준이 적절해 보이는데, 이 기준에 의한다고 하더라도 중국의 중산층 인구 2억 2,500만 명은 남북한 인구 전체와 일본 인구 전체를 합친 수보다도 많다. 2016년 대학 졸업생수가 800만 명에 이르는데, 이들은 대학 졸업 후 직장에 취직하거나 상당수는 자신의 사업을 시작하기도 해서 젊은 층의 안정적인 구매력 역시 매년 증가하고 있다.

중국은 런타이뒤와 지속적인 경제성장으로 확대된 중산층이라는 2가지 요소가 결합하여, 실로 세계 최대의 구매력을 가진 시장이 되었다. 거기에 모바일 환경을 이용한 다양하고 신속한 판매 유통망이 형성되어 약 13억 7,000만 인구의 경제권이 눈에 보이지 않는 속도로 촘촘히 연결되었다. 이로 인해 큰 시너지 효과를 내고 있는 것이다. 이 시장을 어떻게 이해하고, 어떻게 진출하며, 어떻게 활용할 것인가를 고민해야 한다. 두 번 다시 없는 기회다. 충분히 도전할 만한 가치가 있다.

"런타이둬 스창타이다(人太多, 市場太大)".

2 메기 효과

경쟁관계가 주는 긴장감

늑대가 있는 미국 동부 지역의 양(羊)과 늑대가 없는 서부 지역의 양에는 큰 차이가 있다. 동부 지역의 양은 체격이 크고 심장 기능이 좋은 반면 서부 지역의 양은 체격이 작으며 심장은 크지만 그 기능은 오히려 떨어진다. 똑같은 미국의 양인데 왜 이런 차이가 생겼을까? 늑대가 없는 서부 지역에 비해 동부 지역의 양은 늑대의 위협을 피해 이리저리 뛰어다니기 때문에 좋은 체격에 좋은 심폐량을 갖게 되었다고 한다.

큰 바다나 호수에 살던 물고기를 잡아 수족관으로 옮기면, 시간이 지나면서 물고기는 의욕을 잃고 움직이지 않는다. 결국 고기 맛이 떨어질 수밖에 없다. 이럴 때 쓰는 방법 중 하나가 그 물고기를 위협하는 다른 종류의 물고기를 수족관이나 어항에 넣는 것이다. 그러면 물고기들이 새로 들어온 강자에게서 살아남기 위해 경계심을 갖고 움직이게 된다. 자주 움직이다 보면 잘 먹어야 하고 그러다 보면 원기를 회복하게 되고 고기 육질도 좋아진다고 한다.

영국의 저명한 역사학자 아널드 토인비(Arnold J. Toynbee)가 인류 역사에서 도전과 응전의 과정이 문명 발전의 원동력임을 설명하면서 자주 인용했다는 메기 효과(catfish effect)다.

사실인지 우스갯소리인지 모르겠지만 홀로 사는 남성보다 부인과 함께 사는 남성이 장수한다고 한다. 그 이유는 부인과 함께 사는 남성들은 부인으로부터 줄곧 잔소리를 들어 늘 긴장하고 살기 때문에 오래 산다고 한다.

중국은 이미 많은 산업 분야에서 한국을 능가한다. 최근에는 한국과 경쟁하고 있는 첨단 산업 분야에서도 약진하면서 한국을 긴장하게 만드는 긍정적인 측면도 있다. 중국 기업은 늑대의 위협이고, 메기와의 동거이며, 잔소리해서 긴장시키는 부인과 같은 존재라는 말이다.

한국의 주력 산업이 중국의 위협을 받기도 하지만, 이러한 중국의 위협이 한국에게는 긴장을 늦추지 않고 더 연구하고 개발해 경쟁력을 갖추거나 발 빠르게 새로운 산업으로 이전하는 기회가 될 수도 있다.

중국의 스마트폰, 자동차, 반도체, 디스플레이, 생활가전 등이 한국을 뛰어넘기 위해 호시탐탐 기회를 노리고 있다. 한국은 중국 제품과의 경쟁에서 살아남기 위해 기술력을 높이고 원가를 절감하고 부가가치를 높이기 위해 더욱 치열하게 노력해야 한다. 전기자동차, 드론, 로봇, 인공지능 등 신성장 첨단 산업 시장에서는 중국이 이미 한국을 앞서나가고 있다. 한국 기업들은 이를 쫓아가거나 따라잡기 위해 긴장하고 분발해야 한다.

한국무역협회 산하 국제무역연구원이 2017년 2월에 발표한 '세계 수출시장 1위 품목으로 본 우리 수출의 경쟁력 현황' 보고서에 의하면, 2015년 전체 5,579개 품목 중 중국은 31.6%인 1,762개 품목에서 세계 수출 시장점유율 1위를 차지하고, 한국은 68개 품목으로 14위를 차지했다. 중국은 전년 대비 128개 품목이 1위에 추가되었고, 한국은 지난 3년간 67~68개 수준에서 정체되어 있다.

한국이 1위인 품목 68개 가운데 철강, 비전자, 수송 기계 등 분야에서 중국산 17개 품목이 2위로 뒤를 바짝 따라오고 있다. 중국의 추격을 벗어나기 위해 또는 한국이 쫓는 품목에서 중국을 따라잡기 위해 한국은 때로 미꾸라지가 되고, 때로 메기가 되어야 한다.

지속적인 시장조사와 연구개발로 고부가가치의 경쟁력 있는 상품으로 만들어야 한다. 중국이 쫓아오는 만큼 한국도 더 빨리 뛰어 달아나야 하는 것이다. 무한 경쟁시대에서 살아남기 위해서는 이겨야 한다. 작은 배가 큰 배보다 오히려 방향을 빨리 바꿀 수 있다. 한국이 어떻게 하는지에 따라 거대한 중국의 등장은 중대한 도전이 되기도 하고, 퍼스트 무버로서 경쟁력을 갖출 수 있는 기회가 되기도 한다.

한중간 경쟁 분야

현재 한중간 경쟁하고 있는 분야나 상품은 한두 가지가 아니다. 스마트폰, 생활가전, 반도체, 디스플레이, 사물인터넷, 로봇 등이 대표적이다. 중국과의 경쟁에서 한국이 지속적으로 리드하기 위해서는 정부와 국민 모두가 노력해야 하며, 특히 관련 산업에 있는 한국 기업들이 더욱 분발해야 한다.

한국수출입은행의 해외경제연구소가 2016년 12월에 발표한 '제4차 산업혁명 시기의 한중 산업 정책 및 경쟁력 비교 연구' 보고서에 의하면, 제4차 산업혁명을 선도하는 로봇, 사물인터넷, 3D 프린팅, 빅데이터, 인공지능 등 5대 핵심기술 분야에서 한국은 사물인터넷에서는 아직 중국에 비해 우위를 점하고 있으나 향후 중국의 추격이 예상되고 있다. 로봇 분야에서는 경쟁이 치열하지만 점차 중국의 경쟁력이 더욱 높아질 것으로 전망된다. 3D 프린팅, 빅데이터, 인공지능 분야에서는 이미 중국에 비해 열위에 있는 것으로 조사되었다.

보고서는 한국 정부가 '한국형 제4차 산업혁명 주도 전략'을 조속히 세울 것과 관련 법과 제도의 유연성을 확보할 것을 권고했다. 기업에 대해서는 중국의 거대 내수 시장을 겨냥하여 전략적 인수합병을 추진하고, 지분 투자를 확대하며, 글로벌 시장에서 외국 기업과의 단순 경쟁보다는 이들 기업과의 '협력형(전략적) 기업성장 전략'을 마련하도록 주문했다.

다시 말해 기업 경쟁력 강화를 위해 스스로 산업 패러다임 변화에 적극적으로 대응하는 자세를 가지라는 것이다. 메기의 위협에서 살아남기 위해서는 진정한 미꾸라지가 되는 수밖에 없다.

3 한류의 확산

문화적 유사성이 주는 친근감과 편안함

전 세계 200여 개 국가 가운데 북한을 제외하고 한국과 문화적으로 가장 유사하고 지리적으로 가장 가까운 나라는 중국이다. 북한이 고립 체제를 유지하면 할수록 북한인보다도 오히려 한국과 유사한 문화와 생각을 가진 사람들은 중국인이 될 수 있다. 생김새도 비슷하고, 인접 국가로 오랜 기간 역사를 공유하고, 유교의 전통을 같이 하고 있고, 같은 한자 문화권이고, 더욱이 성씨를 상당 부분 공유하고, 대체로 세 글자로 만들어진 이름을 사용하는 나라는 북한을 제외하면 한국과 중국밖에 없다.

이런 이유 때문에 한국의 문화와 남다른 끼를 바탕으로 한 한류(韓流)가 급속하게 중국에 전파되었다. 한국이 제작한 드라마나 예능 프로그램은 각색 없이 그대로 중국인들에게 전해지고 있으며 큰 공감을 얻고 있다. 물론 한중간에는 다른 측면도 많다는 점을 잊어서는 안 된다. 그러나 지구상 어느 나라나 민족보다도 가장 유사하기 때문에 한중간에는 따뜻한 마음으로 대화할 수 있다. 그만큼 비즈니스의 기회도 많다.

한류(韓流)가 한류(漢流)와 만나면 새로운 기회가 생길 수 있다. 한국이 중국의 문화와 역사를 잘 이해해야 하는 이유이기도 하다.

2016년 7월 한국 정부의 사드 배치 결정 이후 중국 정부는 암암리에 또는 공공연하게 한류 차단과 방한 관광객 제한, 전세기 취항 금지, 롯데마트 상품 불매 운동 등에 이어 심지어 클래식 공연 금지에 이르기까지 한한령을 내렸다. 그러나 중국인들은 여전히 한국 드라마와 연예인을 좋아한다. 2017년에는 중국 정부가 여행사들의 단체 방한 모객 활동을 금지하는 반강제적 조치로 한국 단체 여행이 대폭 축소되기는 했으나, 2016년에는 800만 명이 넘는 중국인들이 한국을 방문했다. 이 역시 한국이 중국인들에게 주는 유사성에서 오는 편안함이기도 하다.

사드 배치 결정 이후 중국의 한한령에도 불구하고, 필자가 근무하는 주 광저우 총영사관에서는 기회가 되는대로 케이팝(K-pop), 미술, 음식, 사진 등을 매개로 한 한중 문화교류전을 개최했다. 공식적인 양국 관계의 어려움이 양국 국민의 저변에 흐르는 친근감을 결코 막을 수 없을 것이라는 것이 필자의 소감이었다.

한류는 한국의 대중문화가 중국의 대중문화에 큰 영향을 주고 있음을 의미한다. 1997년 중국 국영방송 CCTV에서 방영된 배우 이순재가 대발이 아버지로 나온 '사랑이 뭐길래'라는 드라마가 한류의 원조라고 할 수 있다. 지난 20년간 축적되어온 한류의 역사는 단계를 거치면서 진화의 과정을 거쳤다. '사랑이 뭐길래', '대장금' 등 드라마가 주도한 한류 1.0시대, 온라인 게임과 K-pop 가수들을 중심으로 한 한류 2.0시대, 2010년 이후 '별에서 온 그대', '태양의 후예', '도깨비' 등 한중간 사전협력 및 중국 투자를 통해 제작된 드라마를 중심으로 한 한류 3.0시대를 거쳤다.

중국의 일부 젊은이들이 한류에 열광하는 모습은 한국에 사는 사람들로서는 사실 실감하기 힘들 것이다. 필자가 중국 젊은이들을 만나게 되면 그 가운데는 반드시 한류의 영향으로 한국어를 배우는 사람들이 있고, 필자에게 간단하지만 한국말로 말을 건네는 젊은이들이 있다. 많지 않은 월급을 모아 1년에 한두 번씩 한국으로 여행을 떠나는 중국 젊은이도 많다.

그들에게 한류 스타는 중국, 아니 세계의 그 어느 누구보다도 만나고 싶어 하는 우상이다. 필자가 근무하고 있는 주 광저우 총영사관에서도 한류에 이끌려 한국말을 배운 중국인들이 다수 행정직원으로 채용되어 근무하고 있다.

중국인이 가장 많이 찾는 곳

사드 보복 조치의 영향으로 본격적인 한국 여행 제재가 이루어지기 직전인 2016년 10월 초 중국의 국경절 연휴 기간 중 중국인들의 여행 행태를 분석한 보고서(중국 최대 인터넷기업 텐센트가 운영하는 모바일 메신저 위챗 보고서)에 의하면, 중국 사람들이 해외에서 가장 많이 찾은 곳(국가가 아닌 장소) 1위가 서울 명동이라고 한다. 더욱 놀랄 만한 일은 10위 안에 7곳이 서울에 소재해 있다. 2위 롯데백화점, 3위

남산타워, 4위 롯데월드, 5위 롯데면세점, 8위 신세계백화점, 9위 신라면세점이다. 2016년에 중국인들의 최대 해외 여행국은 홍콩과 마카오를 제외하면 태국(약 860만 명)이고, 그 다음이 한국(약 800만 명)이었다.

방문한 장소로만 따지면 한국에 압도적으로 집중도가 높다는 것을 잘 보여주는 통계다. 그만큼 한국과 한국 상품을 인정하고, 친근하게 느낀다는 말이다. 참고로 이 순위 중 6위는 말레이시아 쿠알라룸푸르의 메르데카 광장, 7위는 이탈리아 베네치아 쇼핑센터, 10위는 마카오 타워라고 한다.

안타깝게도 2017년 10월 국경절 기간에는 중국의 사드 보복 조치의 영향으로 전년에 비해 중국인 관광객이 약 50% 이상 줄었다. 그러나 양국 정부의 관계 개선 합의에 따라 앞으로는 더 많은 중국인 관광객이 서울 명동을 활보할 것으로 기대된다.

4 한중 FTA를 통한 배타적 효용성

경제뿐 아니라 정치적 함의가 포함된 자유무역협정

자유무역협정(FTA, Free Trade Agreement)는 한국 정부가 21세기에 들어서 박차를 가해온 대외무역정책 가운데 가장 중요한 정책이다. 자원이 없는 한국으로서는 무역을 하지 않고 살 수 있는 방법은 없다. 한국에게 무역은 필수적인 경제 수단이다.

또한, 외국과의 무역에서 제3국보다 유리한 환경을 만들어야 한국 상품을 더 많이 잘 팔고 외국 상품을 싸게 들여오는 경쟁력을 갖출 수 있다. 그래서 한국 정부는 상대국 또는 여러 국가와 FTA를 체결하는 것이다.

물론 FTA는 대외통상에서 결코 요술방망이가 아니다. 상대국가와 FTA를 체결했다고 해서 하루아침에 무역량이 증가하고, 경제가 성장하지는 않는다. FTA란 양국간 협상의 결과물로 서로의 강점을 최대한 살리고, 서로의 약점을 최대한 감추려고 하는 것이기 때문이다. 그러다 보면 결국 중간선에서 협정이 타결된다.

관세 철폐 또는 축소 이행 기간을 자국 산업에 큰 피해가 가지 않게 하기 위해 짧게는 1년이나 5년, 길게는 10~20년까지 늘려놓게 되어 그 효과가 바로 느껴지지 않는 경우도 많다. 다만, 상대국과

FTA를 체결하면 FTA를 체결하지 않은 제3의 국가와 비교할 때, 타결된 관세 축소분만큼의 경쟁력을 갖게 되거나 개방된 서비스 시장에 진출하는 게 상대적으로 용이해진다.

특히, 중국과 같이 제3국과 FTA 협정이 체결되지 않은 국가는 더욱 그렇다. 2017년 12월 현재 중국은 한국, 아세안, 호주, 뉴질랜드 외에는 경제 규모가 크지 않은 국가 등 총 23개 국가 및 지역과 15개의 FTA 협정을 맺고 있다. 한국의 수출 경쟁국인 일본, 미국, 유럽 등이 아직 중국과 FTA를 체결하지 않았는데, 한중간 FTA 체결은 해당 분야에서 한국 제품의 대중국 수출에서 유리한 환경을 갖게 해주었다.

FTA 체결에는 경제적 의미 외에 정치적 의미도 내재되어 있다. 어떻게 보면 하나의 동일한 경제권을 형성하는 것이니만큼 양국간 및 양국민간의 긴밀한 관계를 형성하는 매우 유용한 정치·외교적 수단이 될 수 있다.

중국의 FTA 체결 상대국을 보면 상기 주요 국가 외에 파키스탄, 페루, 칠레, 코스타리카, 조지아, 스위스 등 경제적 측면보다 전략적 측면에서 상대국을 선정했다고 할 수 있다. 한국도 미국, 유럽연합 등 서방 국가들과 FTA를 맺은 뒤 중국과 FTA를 체결한 것은 경제적 판단이 우선되었지만 정치적 의미도 있었다고 본다.

현재 미국이 환태평양경제동반자협정(TPP) 참여를 철회했지만, 그 전까지 버락 오바마 행정부는 중국을 견제하면서 일본, 동남아시아,

오세아니아 국가, 한국까지 TPP에 가입시키려 애를 썼다. 이것은 경제적 측면 외에 동아시아에서 미국의 정치·외교적 계산도 있었다는 것을 알 수 있다.

마찬가지로 한국과 중국의 FTA 체결 역시 우리의 대중국 중시 정책의 일환이며, 중국으로서도 한국을 자신의 경제권 내에 머물게 하고 싶은 정치적 의지의 표현으로 볼 수 있다.

한중 FTA

중국은 한국의 최대 무역 상대국이고 이웃에 있는 세계 제2의 시장이다. 따라서 한중 FTA 체결의 의미는 무엇보다도 크다. 한중 양국은 2년 반 동안 14차례 회담을 거쳐 2014년 11월 FTA 문안을 타결하고, 2015년 정식 협정서명과 국회 비준을 거쳐 그해 12월 20일 양국간 FTA 협정이 발효되었다.

한중 FTA 협정의 주요 내용을 보면 다음과 같다. 상품의 관세 철폐 시기가 즉시, 10년 이내, 20년 이내로 구분해보면, 중국 시장에서 관세가 즉시 철폐되는 상품은 품목수 기준으로 전체의 20.1%, 10년 이내가 71.3%, 20년 이내가 90.7%에 달한다(누적 기준). 그리고 한국 시장에서 중국 상품에 대해 각각의 시기별로 49.9%, 79.2%, 92.2%에 달한다. 품목별로 보면, 한국은 쌀을 포함한 민감한 주요 농산품인 고추, 마늘, 쇠고기 등 600여 개 품목을 양허에서 제외했다. 중국은 자동차, 석유화학 등 우리의 경쟁력이 큰 상품을 양허에서 제외했다. 이로써 양국이 경쟁력을 가진 품목을 제외하고 민감한 품목을 보호하는 결과가 되었다. 한중 FTA는 한국이 여타 국가와 맺은 FTA에 비하면 매우 낮은 수준의 FTA로 낙착이 된 것이다. 중국의 시장 개방도, 중국 농산품에 대한 우리 시장의 민감도, 양국간 정치·안보적 고려 등에 비추어 불가피한 선택이었을 것이다.

상품 양허(관세 철폐) 외에는 중국에 파견된 한국 기업 주재원의 체류 허가 기간을 1년에서 2년 이상으로 늘리고 복수 비자 발급을 확대하는 등 비관세 조치를 완화하거나, 원산지 증명서 제출 의무 기준을 완화한다든지, 일종의 통관 절차를 완화해주는 등의 조치가 포함되어 있다.

한국의 관심 사안인 서비스 분야는 일단 협상 타결을 유보하고, 2015년 12월 협정 발효 후 2년(2017년 12월) 이내 상호 개방하지 않기로 합의한 분야를 제외하고는 모두 자유화하는 '네거티브 리스트 방식'의 후속 협상을 개시하기로 합의했다. 그 밖에 양국간 경제협력 강화를 위해 양국에 각각 한중(중한) 산업협력단지 조성, 투자 확대, 제3국 공동 진출 협력, 전자상거래 분야 협력, 환경·항공·우주·에너지 등 신(新)협력 분야 발굴 등을 합의했다.

한중 FTA 협정 체결의 효과를 평가하기는 아직 이르다. 앞으로 그 이행 과정에서 한국의 과제도 만만치 않을 것으로 예상된다. 사드 배치 이후 한중 관계가 소원하게 되어 서비스 분야의 협상 재개가 이루어지지 않아 안타깝다. 그러나 2017년 12월 개최된 한중 정상회담에서의 협상 재개 합의에 따라, 조속한 시일 내에 협상을 개시하여 날로 확대되고 있는 중국 내 서비스 시장 진출을 도모해야 한다. 그 밖에 사드 배치 문제로 지연된 한중 산업협력단지 조성, 한중 TV 드라마·다큐멘터리·애니메이션 협정 등 기타 한중 FTA 이행 조치도 조속히 추진되기를 기대한다.

한국이 경쟁력을 갖고 있는 소비재 및 식품 등의 분야에서 관세 철폐 또는 완화 효과가 크므로, 원산지 발급 절차 등을 간소화해 관련 기업들의 한중 FTA 활용도를 높이는 등 한국 제품의 중국 진출에 기여하는 좋은 플랫폼이 될 수 있도록 노력해야 한다.

중국 정부의 위생 및 검역(SPS), 기술장벽(TBT), 지적재산권 침해 등 비관세 장벽 조치도 점차 높아지고 있다. 한중 FTA 협정상의 각종 비관세 장벽 점검 조항을 활용해 이에 대한 점검 체제를 구축하고 이의 해소 방안을 강구하는 것도 시급하다고 할 수 있겠다.

무엇보다도 한중 FTA가 제3국에 비해 배타적 효용성을 갖기 위해서는 한국이 중국과 FTA를 맺지 않고 있는 미국, 일본, 유럽 국가들과 중국을 잇는 가교 역할을 할 수 있느냐에 달려 있는 만큼, 한국의 외교력과 한국 기업의 글로벌 경영 능력을 함께 키워야 할 것이다.

5 전자상거래 시장 진출 전략

중국의 전자상거래 시장

한국에서는 한 제과 회사가 자사 제품의 판매를 위해 11월 11일을 빼빼로 데이로 만들었지만, 중국에서는 수년 전부터 11월 11일을 광군제(光棍節)라고 하여 '짝이 없는 젊은이들을 위한 날'로 정하고 모든 상품을 대대적으로 할인 판매한다. 광군제는 모바일 전자상거래 플랫폼을 통한 중국의 미국식 블랙 프라이데이로 정착되었다. 2017년 11월 11일 광군제 하루 동안에 전자상거래 판매액은 총 2,539억 위안으로 전년 대비 48.6%나 증가했다. 한국 돈으로 환산하면 43조 원으로 한국 1년간 국가 예산의 10%를 상회하는 거액이다.

2017년 11월 11일 하루동안 총 전자상거래 판매액 가운데 알리바바의 티몰이 66.2%(28조 원), 징둥닷컴이 21.4%(9조 2,000억 원)를 팔았다. 이는 2016년 10월 마윈 회장이 처음으로 신유통(New Retailing) 개념을 제시하면서 기존의 TV 홈쇼핑 수준을 넘어 빅데이터, 인공지능 등 첨단 기술을 이용해 제품의 생산, 판매, 유통의 전 과정을 스마트하게 업그레이드한 덕분에 가능했다.

제2차 세계대전 이후, 특히 1990년대 이후 소위 지구화·세계화(Globalization) 시대를 맞이하면서 영어 등 외국어 구사 능력이 비즈니스의 필수적인 수단이 되었다. 마찬가지로 오늘날 경제활동을 위해서는 인터넷 환경을 이용한 전자상거래 시스템이 선택이 아닌 필수 조건으로 자리잡았다. 전자상거래의 사전적 의미는 '사람과 사람이 물리적인 매체의 전달을 통해 상품을 사고파는 전통적인 상거래와 달리 컴퓨터와 네트워크라는 전자적인 매체를 통해 상품을 사고파는 행위'를 말한다.

중국과 같이 넓은 영토와 많은 인구를 가진 나라에서 전자상거래 시스템은 효과적으로 활용할 수 있는 필수 거래 수단이 되었다. 중국 상무부는 '전자상거래 발전 촉진을 위한 3개년 행동 실시 방안(2016~2018년)'을 발표하고 전자상거래 수준 제고 가속화 방안, 전자상거래와 실물경제의 융합 심화 방안, 공급측 구조개혁 보조 방안 등 전자상거래의 발전 목표를 구축했다.

전자상거래에는 3가지 이동 방식인 정보 이동(왕훙[網紅], 웨이상[微商], 가상현실[VR]), 자금 이동(모바일 결제시스템), 물품 이동(O2O, 항공, 고속철도, 드론산업 등)으로 구성된다. IT 모바일 시대를 앞서가는 중국이 이를 잘 활용하고 있는 것이다.

중국의 전자상거래 시장은 매년 약 30%의 성장을 거듭해 전 세계에서 가장 빠른 속도로 성장하고 있다. 2016년에는 22조 위안(3,740조 원) 규모로 세계에서 가장 큰 전자상거래 시장으로 등장했다. 광활한 중국 대륙에서 유통망을 갖기 힘든 한국으로서도 앞서 있는 IT 분야의 전문성을 활용해 전자상거래를 통한 중국 시장 공략에 나선다면 다른 국가들에 비해 더 많은 기회를 가질 수 있을 것이다.

중국의 대외무역에서도 전자상거래가 차지하는 규모는 지속적으로 증가하고 있다. 중국 상무부 통계에 의하면, 중국 수출입 총액이 2013년 처음으로 4조 달러를 돌파했고, 그중 국제 전자상거래 수출입 규모는 약 12.5%인 5,000억 달러(3조 1,000억 위안)에서, 3년 후인 2016년에는 전년 대비 23.5% 증가한 약 1조 달러(6조 3,000억 위안)로 전체 대외무역에서 차지하는 비중도 22%까지 상승했다.

중국의 국제 전자상거래는 주로 자국 상품의 수출(85%)을 중심으로 이루어지지만, 매년 수출 비중은 줄어들고 상대적으로 수입 비중이 증가하는 추세다. 또한, 전자상거래를 통한 교역이 빠르게 성장하면서 소비 수요 역시 증가하고 있어, 중국 정부도 적극 지원하고 있다. 전자상거래 교역을 통한 한국 상품의 대중국 수출 기회는 앞으로도 더욱 커질 것으로 전망된다.

중국 전자상거래 업체의 한국 진출

2017년에는 중국 정부의 사드 보복 조치의 일환으로 한국을 방문한 관광객 수가 대폭 줄었으나, 2016년 한국의 중국인 관광객은 연간 800만 명을 상회했다. 그리고 중국인 관광객의 여행 목적 중 가장 큰 이유는 단순 관광보다는 한국 상품의 현지 구매에 있었다고 한다. 이를 간파한 중국 내 전자상거래 업체의 거인이라고 할 수 있는 알리바바와 징둥은 중국인들이 한국을 방문하지 않고서도 큰 가격 차이가 없이 물건을 구매할 수 있도록 전자상거래를 활용하도록 하고 있다. 두 업체는 한국 기업들이 그들의 사이트에 상품을 올려 주기를 원하고 있다.

베이징에 근거를 두고 있는 징둥은 2015년 약 100여 개의 한국 상품을 자사 사이트에 등록했다. 2014년에 이를 통해 100억 위안(15억 6,000만 달러)에 달하는 한국 상품 거래 실적을 거두었다. 2018년까지 500억 위안 규모의 한국 상품 매출을 예상하고 있다.

징둥의 류창둥(劉强東) 전무는 사드 배치 이전 인터뷰에서 "중국인들에게 명동은 서울에서 가장 핫(hot)한 쇼핑지다. 징둥은 더 개선된 통관 절차와 조달 서비스를 통해 징둥 온라인상에 수천 개의 '명동'을 만들어낼 것이다"라고 말했다.

알리바바의 도매 부문 사장인 장젠펑(張建鋒) 역시 "한국과 중국은 문화적으로 유사한 점이 많고, 특히 최근 한류의 유행으로 중국 젊은 이들 사이에 의류, 화장품 등이 매우 인기가 있다"고 말했다. 알리바바는 하루 평균 약 1억 명의 방문객을 보유하는 자신의 모바일 앱 타오바오를 무기로 홍보전에 뛰어들었다.

또한, 알리바바는 한국 의류 상품을 중국 온라인 구매자들에게 소개하기 위해 이미 2015년 9월 서울에서 한국측 파트너 기업들과 최초로 의류 패션쇼를 주최하기도 했다. 이와 같이 좋은 상품만 있으면, 거대한 중국 시장에 쉽게 진출할 수 있는 기회는 열려 있다.

한국 기업의 중국 전자상거래 활용 방법

전자상거래에는 B2B 거래, 인터넷 쇼핑(B2C, C2C), 여행상품 등 각종 온라인 서비스 거래를 포함한다. 중국에서는 2015년을 계기로 PC를 통한 거래보다 모바일을 통한 전자상거래 횟수가 많아지기 시작했다. 이후 모바일을 활용한 전자상거래가 급격히 증가하면서 새로운 유통 플랫폼 및 마케팅 수단으로 활용되고 있다. 특히, 중국인의 10대 해외직구 품목을 보면, 영·유아용품, 화장품, 사치품, 전자제품, 의류, 가방, 보건용품, 주방용품, 스마트 디지털 제품, 생활가전 순으로 한국 기업들이 비교우위를 갖고 있는 품목이 주를 이루고 있다.

중국 전자상거래 플랫폼으로는 전체 시장의 82.6%를 점유하고 있는 알리바바 그룹 산하의 B2C 온라인 쇼핑업체인 티몰을 비롯해 징둥, 쑤닝이거우(SUNING), 웨이핀후이(VIP), 이하오뎬(yhd) 등이 있고, 그 밖에 글로벌 마켓으로 아마존차이나, 한국 독립몰로는 판다코리아, 한국가, G마켓 중국관, 에이컴메이트 등이 있다.

중국은 국제 전자상거래 시범도시를 지정하고, 이를 통해 국제 전자상거래의 제도화 및 활성화를 추진하고 있다. 현재 상하이, 충칭, 항저우, 닝보, 정저우(鄭州), 광저우, 선전 등 총 12개 시범도시를 지정했다. 이 지역을 활용하면 통관 및 검역 간소화, 결제 업무 간편화, 세제 절감 등의 혜택을 누릴 수 있다.

국제 전자상거래는 중국 내 법인이 없어도 입점이 가능하며, 중국에 상표권을 출원할 필요도 없다. 중국 현지에 유통망을 구축하는 것보다 진입이 용이한 부분이 있는 것은 사실이지만, 그저 입점만 한다고 상품이 팔리는 것은 아니다. 우선 중국 시장에서 브랜드 인지도를 높이는 것이 중요하다. 즉, 좋은 상품을 합리적인 가격으로 책정해 인지도를 높이고, 신뢰할 수 있는 중국인 파트너를 만난 다음에 본격적인 마케팅을 해야 한다.

중국에서 전자상거래가 마케팅 수단으로 활용되는 사례는 다음과 같다. 첫째, 중국에서 각광 받는 마케팅 수단으로 왕홍이 있다. 이는 수년 전부터 한국에서도 유행하고 있는 개인방송 산업과 유사한 것으로 SNS나 실시간 방송, 동영상 공유 플랫폼 등 인터넷을 통해 인지도를 얻은 유명인을 활용한 마케팅을 의미한다. 왕홍은 분야에 따라 전자상거래 플랫폼을 통해 수익을 창출하는 전자상거래 왕홍, 자체 미디어를 가지고 콘텐츠를 공유하는 콘텐츠 왕홍, 사회적으로 유명한 인사가 SNS 채널을 통해 기업 홍보 등을 하는 유명 인사 왕홍으로 나누어진다. 기존에 여성 의류 산업에서 출발한 왕홍은 최근에 화장품, 영·유아 상품, 가구, 가전, 헬스 등 광범위한 산업과 결합되어 확산되고 있다.

둘째, 전 세계적으로 9억 명 인구가 활용하는 웨이신 등 SNS 플랫폼을 이용해 제품을 판매하는 방식이다. 이를 통칭해 웨이상(微商)이라고 부르는데 전통적인 징둥, 타오바오 외에도 웨이뎬(微店), 유짠(有贊), 멍뎬(萌店) 등 다양한 플랫폼의 참여로 웨이상 산업에도 경쟁이 치열하다.

셋째, 오프라인 매장에서 제품을 직접 체험한 후 온라인으로 결제하는 방식인 O2O(Offline to Online)를 활용할 수 있다. 한국보다도 중국이 이 분야에서 앞서가고 있는데, 이는 알리페이, 텐페이(텐센트) 등 모바일 결제시스템이 한국보다 먼저 등장해 빠른 속도로 발전하고 있기 때문이다. O2O 시장은 우리 주변 생활에서 여행업, 요식업, 교육, 웨딩, 육아, 의료, 배송 서비스 등 엔터테인먼트 산업을 선도하고 있으며, 가상현실 등 최신 기술과 결합해 체험형 소비 마케팅 경쟁이 가속화되고 있다.

중국은 주요 지역 여러 곳에서 전자상거래 박람회를 자주 개최하고 있는데, 이 가운데에서 최대 전자상거래 도시인 광저우에서 2016년부터 열리는 'ICEE 광저우 해외직구 전자상거래 박람회(Cross-border E-commerce Goods Expo Guangzhou International)'를 활용할 수도 있다. 2016년 7월 제1회 박람회에서는 1만 5,000㎡ 전시 규모로 한국을 포함해 27개국 약 300개 기업이 참가했으나, 2017년 7월 제2회 박람회에서는 2배가 되는 3만㎡ 전시장에 한국 중소기업진흥공단의 지원하에 참가한 12개 한국 기업 등 50여 개 국가에서 약 600개의 기업(대부분 중국 기업)이 전자상거래를 통한 중국 시장 확보를 위해 참가했다. 참가 기업 수는 매년 증가세를 보이고 있다.

6 일대일로 참여와 협력

실크로드

비단길(Silk Road)은 주로 중국 당나라(618~907년) 시대 시안(西安)에서부터 중앙아시아와 서아시아를 거쳐 터키 이스탄불, 이탈리아 베네치아 등 유럽의 여타 도시로 이어지는 교역로를 말한다. 비단, 차, 도자기를 포함한 상품, 문화, 종교가 전파된 동서양 문명 교류의 통로다. 이에 대한 연구는 19세기에 들어 본격적으로 이루어져 1877년 독일의 지리학자 페르디난트 파울 리히트호펜(Ferdinand Paul Richthofen)이 실크로드라는 용어를 처음 사용해 세상에 알려지게 되었다.

사실 당나라 이전에도 한나라 무제(B.C 156~B.C. 87)가 흉노족의 남침을 막기 위해 동맹국을 찾고자 신하 장건(張騫)을 기원전 2,500년경부터 사용하기 시작한 비단(Silk)과 함께 서역 땅으로 파견했다. 이를 계기로 중앙아시아와 서아시아와의 교류의 길이 개척되기 시작해 훗날 당나라 시대에 이르러 실크로드를 통한 교역이 절정에 이르렀던 것이다.

당나라가 멸망하고 대를 이은 송나라(960~1279) 이후에는 연안 지역 광둥성, 푸젠성에서 출발해 스리랑카, 홍해를 지나 이집트, 시리

아로 이어지는 해상 실크로드가 개척되어 시간과 힘이 드는 육로를 통한 실크로드 무역은 점차 쇠퇴했다.

중국 해상 실크로드의 절정은 스페인의 콜럼버스나 포르투갈의 바스코 다 가마(Vasco da Gama)보다도 거의 90년 전이다. 명나라 장군 정화(鄭和)가 1405년부터 1433년까지 7차례에 걸쳐 대선단을 이끌고 지금의 동남아시아, 서남아시아, 중동, 아프리카 동부 해안까지 진출했던 시기라 할 수 있다. 그러나 중국은 정화 장군의 항해를 끝으로 바닷길을 중단했다. 약 400년 후에 같은 바닷길에서 거꾸로 밀려들어오는 서양 세력에 의해 1840년 아편전쟁이 발발하고 나라 전체가 침략당하는 수모를 겪은 것은 정말 아이러니다.

일대일로 정책

아편전쟁의 결과 중국은 1842년 난징조약으로 홍콩을 할양하고 상하이, 광저우, 샤먼 등 5개 항구를 개항했으며 엄청난 배상금을 지불해야 했다. 그 후 중국은 175년이 지난 2017년 5월 14일 러시아, 필리핀 등 29개국 정상, 130개국 장관급 대표단, 70여 개 국제기구 수장 등 1,500여 명의 외국 귀빈을 베이징으로 초청해 일대일로(一帶一路) 국제협력 정상포럼을 개최했다.

시 주석은 당나라 시대 실크로드와 명나라 시대 해상 실크로드를 재현하듯 참가국들에게 경제 발전을 위한 5개의 통(通), 정책소통(政策疏通), 인프라연통(設施聯通), 무역창통(貿易暢通), 자금융통(資金融

通), 민심상통(民心相通)으로 함께 거래하고, 건설하며, 발전을 향유하자고 외쳤다.

시 주석 등장 이래 중국의 대외정책 중 가장 중요한 근간은 과거 육상·해상 실크로드의 영화를 살리기 위해 2013년 9월 시 주석의 중앙아시아 및 동남아시아 순방 때 발표된 일대일로(One Belt One Road) 구상이라 할 수 있다. 이어 중국 정부는 2015년 3월 말에 '실크로드 경제벨트(一帶, One Belt) 및 21세기 해상 실크로드(一路, One Road)의 공동건설 추진을 위한 전망과 행동'이라는 제목하에 일대일로 구상에 대한 구체적인 행동 계획을 발표했다. 국내적·국외적·정치적·경제적 목적을 다양하게 내포하고 있는 정책이다.

일대일로 정책은 부분적으로는 1990년 말부터 시행된 기존의 서부대개발 정책과 유사하다. 첫째, 국내 경기 침체 상황에서 거대한 개발사업으로 내수를 촉진하고, 둘째, 개발의 중점을 서부 지역 등 외곽 지역에 두어 중국 내 동서간 격차를 줄여 균형발전을 이룬다, 셋째, 중국 기업의 해외 진출을 가속화하고, 중국 내 과잉생산 재고 및 설비를 해외 개발 사업에 사용해 국내 수급을 맞추며, 넷째, 아시아, 아프리카, 유럽 국가와의 네트워킹, 위안화 국제화 추진 및 FTA 체결 등 역내 경제권 개발에서 주도적 역할을 맡는다는 일석사조(一石四鳥)의 국내적·외교적 목적을 지닌 거대 이니셔티브(initiative)인 것이다. 게다가 일대일로 정책이 2017년 10월 제19차 당대회에서 당장(黨章: 당헌)에 반영됨으로써 그 위상이 국가사업에서 당의 사업으로 제고되어 장기적인 추진 동력을 얻게 되었다.

이 같은 목적 외에도 일대일로 이니셔티브의 배경에는 서구 정치학자들이 미국 버락 오바마 대통령의 '아시아 회귀 정책(Pivot to Asia, 한·일과의 동맹 관계를 강화하고, 필리핀·베트남·인도네시아 등과의 연계를 강화해 중국의 부상을 저지한다는 정책)'에 대응하기 위해 시 주석이 취임 후 들고 나온 국가 외교·전략적 정책이라고 설명하기도 한다.

일대일로 정책의 내용을 간단히 요약하면 다음과 같다. 육상으로는 중국 서부 지역을 출발점으로 하여 중앙아시아와 서아시아를 거쳐 유럽(발틱해)으로 연결하는 실크로드 경제벨트를 건설하고, 해상으로는 중국 동부 지역 연안에서 출발해 동남아시아, 남아시아, 인도양을 거쳐 유럽 및 남태평양, 아프리카까지 연결하는 21세기 해상 실크로드를 건설한다는 거대 경제권 구상이라고 할 수 있다.

그동안 중국은 육상을 통한 개발 전략으로 서부대개발은 물론 그 전부터 중앙아시아를 통해 유럽으로 이어지는 실크로드 구상을 여러 형태로 제시하기도 했다. 해상 실크로드 개념은 시 주석이 들어서서 새롭게 나온 개념인데, 이에 대해 필자는 과거 중국 역사에 대한 반성에서 비롯된 것이라고 본다.

중국 명나라 장군 정화는 포르투갈, 스페인이 대항해시대를 열기 훨씬 전인 1405년부터 1433년까지 엄청난 규모의 선단을 이끌고 동남아시아, 서남아시아, 인도양, 아프리카 연안까지 항해하면서 당시 중국의 힘을 과시했고 주변 나라들과의 무역을 위해 진출(outward-looking)을 거듭했다.

그러나 당시 명나라의 눈에는 항해에 들어가는 비용에 비해 방문 국가들에서 얻을 것이 적다는 결론에 이르러, 그 이후 바닷길을 접고 국내 중심의 정책(inward-looking)으로 전환하게 된다. 반면, 포르투갈, 스페인, 유럽의 새로운 강자가 된 네덜란드, 영국 등은 줄곧 아프리카, 미주, 아시아 대륙을 넘나들며 식민지 경영과 무역 등 대외 진출을 통해 부를 축적했다. 그 결과 18세기 제1차 산업혁명을 이루어, 동서양의 힘과 부의 역전 현상이 일어났던 것은 역사가 가르쳐 주고 있다. 시 주석도 대외 진출 전략의 중요성에 대한 반성에서 일대일로 정책 구상을 구체화했던 것이 아닌가 하는 생각을 갖게 만드는 이유다.

일대일로 정책으로 관계 국가 간에 하나의 경제권이 구축된다면, 60여 개 국가를 포함하여 총 인구 44억 명, 경제 규모 21조 달러의 지구상 최대 규모의 경제권이 형성된다. 실제 중국은 2016년 한 해 동안 일대일로 정책으로 국가들과의 양자간 무역액이 9,120억 달러에 달했다고 발표했다. 중국 정부는 이 구상을 추진하기 위해 국무원 부총리를 위원장으로 하는 추진위원회를 구성했으며, 사업 추진을 위한 재원 마련을 위해 400억 달러 규모의 실크로드 기금 유한책임공사를 설립했다. 시 주석은 2017년 5월 개최된 '일대일로 국제협력 정상포럼' 개막식에서 실크로드 기금에 1,000억 위안(145억 달러)을 추가 투자할 것임을 천명했다.

2016년 1월 인프라 시설 투자 자금 조달을 위한 자본금 1,000억 달러(납입 200억 달러, 유보 800억 달러) 규모의 AIIB(Asian Infrastructure Investment Bank, 아시아인프라투자은행)를 설립했다. 2017년 6월 현재 AIIB에 미국과 일본이 불참하고 있는 가운데 한국, 영국, 캐나다 등 80개국이 참여해 창설 1년여 만에 기존의 역내 기구인 아시아개발은행(ADB) 회원국 64개국을 이미 상회하고 있으며, 중국이 27.8%의 가장 많은 지분을 가지고 있다(한국의 지분율은 중국, 인도, 러시아, 독일에 이어 5위로 3.81%다). 2017년 3월 말 현재 2016년 기간 중에는 7개 개도국에서 시행되는 에너지, 교통 분야 등 9개 인프라 건설 프로젝트에 총 17억 3,000만 달러의 차관, 2017년 1~3월까지는 3개국에서 3건에 2억 8,000만 달러로, 총 12건 프로젝트에 20억 1,000만 달러의 융자를 승인했다.

중국의 왕이(王毅) 외교부장은 2017년 3월 개최된 전국인민대표대회에서 일대일로 정책은 "현재 가장 인기 있는 공공재이며 국제협력의 플랫폼으로서 세계경제에 밝은 전망을 약속하고 있다"고 말했다. 또한, 러시아 과학원의 한 인사는 "과거에는 오로지 서구-미국으로 이어지는 경제통합과 발전의 선택지만 있었으나, 이제 중국으로부터 새로운 선택지가 주어지게 되었다"고 말하면서 일대일로 정책을 평가했다. 그러나 사실 중국 정부는 일대일로 정책을 향후 2050년까지 내다보는 정책 구상으로 설계했으며 현재 시행된 지 얼마 되지 않아 구체적인 성과를 평가하기는 아직 이르다.

일대일로가 시 주석이 강력하게 추진하는 중국 정부의 최대 외교 정책이기는 하지만, 워낙 방대한 사업이다 보니 사업의 추진 주체 및 우선순위가 방만한 것도 사실이다. 중국 정부는 일대일로 정책을 통해 해당 국가들과 정책 협의, 인프라 건설, 무역 증진, 금융 협력, 민간 교류를 확대해나가겠다는 계획이다. 그러나 지리적으로 광범위한 영역을 포괄하고 있어 향후 미국, 인도, 러시아, 일본 등 주요국과의 지정학적 경쟁이 불가피하며, 중국인의 대규모 유입 및 토지 매입 등에 대한 주변국의 우려, 인프라 건설 자금 조달 및 상환 문제 등 도전 과제도 만만치 않을 것으로 예상된다.

예를 들어, 중국의 남부 윈난성에서 라오스, 태국, 말레이시아, 싱가포르로 이어지는 범아시아 철도망 구상은 예산 지원 문제가 있음에도 일부 진전이 이루어지고 있다. 그러나 윈난성에서 미얀마, 인도, 방글라데시, 인도양으로 이어지는 경제회랑(Economic Corridor) 구상은 인도가 중국에 대해 의구심을 갖고 있어 진전이 없는 상태다.

일대일로에서 찾는 한국의 기회

2017년 2월 PWC(Pricewaterhouse Coopers: 프라이스워터하우스쿠퍼스)의 발표 보고서에 따르면, 2016년 일대일로 주변 66개국 및 지역의 인프라 건설 투자 총액이 약 4,930억 달러에 달했으며, 이 가운데 중국 소재 프로젝트는 약 1,650억 달러를 차지했다고 한다.

일대일로 추진 사업은 한국의 노력 여하에 따라 득이 될 수도 있고, 손이 될 수도 있다. 한국이 진출 가능한 시장은 중국의 자본과 값싼 노동력으로 이미 중국의 시장으로 변해 있다. 이에 대비하고자 한국은 그간 AIIB의 창립 멤버가 되어 3.81%의 지분 참여를 하고, 2017년 AIIB 연차총회를 제주도에서 유치하기도 했으며, 중국과는 공동으로 제3국에 진출하고 해외 투자를 위한 공동 기금을 조성하기로 합의한 바도 있다.

향후 중국이 일대일로 정책을 구체화하고 실천해나가는 과정에서 자국의 필요에 따라 부족한 자본, 기술, 장비, 엔지니어링 등을 유럽이나 기타 선진국에서 보완하려 할 것이다. 특히 동남아시아 지역은 한국의 진출 경험이 풍부한 곳이므로 한국 기업들의 현지 정보와 사업 경험 등이 유용할 것으로 보인다.

다행스럽게도 2017년 10월 LS전선이 국내 기업으로는 처음으로 AIIB 승인 차관 프로젝트 중 하나인 방글라데시의 전력 케이블 공사를 4,600만 달러에 수주했다. 향후 한국 기업들의 추가적인 참여 확대를 위해서는 기업의 자체 역량 강화와 함께 해외 사업 정보 수집 능력을 제고하고 해외 기업과의 네트워킹을 확대하는 등의 노력이 필요하다.

2017년 8월 5일 「이코노미스트」의 기사 'China's grand project'에 따르면, 서구 기업들도 초기에는 일대일로 사업에 회의적인 시각이었으나, 중국의 투자가 확대되면서 장비 판매, 기술 제휴, 서비스 제공 등에 있어서 새로운 사업의 기회로 인식하고 있다고 한다. 실제 미국의 글로벌 기업인 GE는 2016년에 일대일로 프로젝트 관련 장비로 23억 달러를 수주했으며, 그 밖의 캐터필러(Caterpillar), 허니웰(Honeywell), ABB 등의 엔지니어링 기업과 DHL, 머스크(Maersk) 등 물류 기업 및 바스프(BASF), 린데(Linde) 등 화학 기업들도 일대일로 프로젝트에 사업 역량을 집중하고 있다.

중국의 중서부 내륙 지역으로의 진출뿐 아니라, 한국이 향후 남북한 관계를 개선하고 나아가 통일시대를 맞이할 수 있다면, 한중간의 북한 내 공동개발을 적극적으로 추진할 수 있을 것이다.

또한 한국 정부의 신북방정책과 신남방정책이 결실을 이룬다면 북한 지역을 넘어 중국과 러시아와의 협력을 통해 유라시아 지역으로 교통과 에너지망을 연계하고, 해상 실크로드선상의 아세안 국가와의 관계 심화를 통하여 새로운 성장 동력을 창출할 수도 있을 것이다. 나아가 중장기적으로 동아시아의 정치·안보에서도 신뢰를 구축할 수 있다.

일대일로 연장선상에 있는 지역에서 한중간 협력을 통한 에너지, 인프라, 건설, 해운, 물류, 금융, 문화, 관광 분야 등에서 공동사업을 하고 싶다면, 한국 정부와 관련 기업들은 지금부터라도 면밀하게 동향을 주시하면서 사업 역량을 키우면서 구체적인 협력 사업을 발굴해나가야 한다.

7 부품·소재 산업 전략

차이나 인사이드

중국 시장은 지리적으로 가깝고 문화적으로 유사한 점이 많아 친근하다. 또한 거대한 시장으로 제3국에 비해 FTA나 전자상거래를 활용하기 용이하고, 도전해서 획득할 수 있는 것이 많다. 그러면 과연 한국은 중국의 어떤 시장에서 기회를 찾을 수 있으며, 어떻게 이 기회를 활용할 수 있을까?

얼마 전까지만 해도 한국의 자동차와 스마트폰이 중국 시장에서 큰 비중을 차지했다. 아직도 중국 시장에서 적지 않은 활약을 하고 있으나, 현대기아자동차는 한때 10% 시장점유율에서 이제 5% 이하로 떨어졌다. 삼성 스마트폰도 점유율 1위에서 지금은 8위로 추락했다. 경쟁력 있는 외국 기업의 투자 진출과 중국 기업들의 거침없는 성장세 때문이다.

한국 대외 수출의 25% 이상이 여전히 중국 시장에 집중되어 있다. 한국의 대중국 수출 품목을 분석해보면, 부품과 소재 등 중간재가 차지하는 비중이 70%에 달한다. 즉, 중국 시장은 그간 한국의 대중국 투자를 기반으로 한 부품과 소재 분야 수출 시장으로서 그 역할을 충분히 해왔고, 향후에도 당분간은 지속될 것이다. 중국 시장은 양적인 측면에서도 무시할 수 없으며, 부가가치 차원에서도 잃어서는 안 된다.

이를 위해 한국 기업은 부품과 소재 분야에서의 비교우위와 기술 격차를 유지하면서, 중국 완성품 업체와의 서플라이 체인(공급 사슬)을 활용한 지속적인 수출 물량을 확보해야 한다. 정부는 이 분야에서 인재 육성, 공정거래 관행, 투자환경 개선 등의 정책으로 기업하기 좋은 환경을 만드는 것이 당면 과제다.

현재 제조업 분야에서는 한국이 중국에 비해 아직까지 우위를 갖고 있는 분야는 반도체, 디스플레이, 일반기계, 석유화학 등이다. 이 분야의 시장 규모는 매우 크고 부가가치 또한 높다. 그만큼 중국 역시 양국간 기술 격차를 줄이면서 부품과 소재 조달을 자국산으로 대체하려는 움직임이 거세다. 특히, 중국 정부는 현대적 첨단 산업에서 약방의 감초라고 할 수 있는 반도체나 디스플레이 분야에서는 더욱 국가적 발전계획하에 수입 대체를 위해 노력 중이다.

2010년대 들어 완제품 제조에서 사용되는 중국산 부품이나 소재의 비중은 점차 높아지고 있는데, 이러한 현상을 차이나 인사이드(China Inside)라 부른다.

따라서 한국은 반도체, 디스플레이, 석유화학 분야 등 비교우위 분야에서 경쟁력을 지속적으로 유지해 차이나 인사이드를 막아야 하며, 중국 이외의 제3국을 향한 수출 다변화 노력도 게을리해서는 안 될 것이다.

한국산업연구원(KIET)에서 2017년 3월 발표한 '한중 제조업의 산업 경쟁력 비교'에 의하면, 자동차, 조선, 일반기계, 철강, 석유화학, 섬유, 식품, 가전, 통신기기, 디스플레이, 반도체 등 주요 산업 분야에서 평균적으로 한국의 경쟁력을 100으로 가정할 때 중국 산업의 가격 경쟁력은 현재 120이나 5년 후 110 정도로 양국간 차이가 줄어들 전망이라고 한다. 반면, 품질 경쟁력은 85에서 95로, 기술 경쟁력은 90에서 95로, 신산업 대응 역량은 90에서 95로 각각 증가하면서 한중간의 격차가 줄어들 것으로 전망하고 있다.

이와 같이 한중간 기술 격차가 줄어들고, 중국 시장이 포화상태에 이르렀고, 중국의 내수화 전략(차이나 인사이드)으로 한국의 입지가 좁아지고 있다. 게다가 사드 보복 조치와 유사한 강제적 조치의 가능성이 높아지고 있어 포스트 차이나, 즉 대안시장을 개발해야 할 필요가 커졌다. 포스트 차이나 국가로는 동남아시아, 서남아시아, 동구, 남미 등이 대두되고 있다.

반도체

중국은 2016년 한 해 동안 1,430억 달러(166조 원) 상당의 반도체를 소비했는데, 이 가운데 90% 이상을 수입에 의존하고 있다. 한국에게는 엄청난 기회인 반면, 중국으로서는 아픈 곳이기에 중국 정부는 이를 극복하기 위해 이 분야에 국가 정책적 투자를 진행하고 있다. 중국 정부는 2014년 6월 '국가 반도체 발전 추진 요강'을 발표하면서 2025년까지 1조 위안(170조 원) 규모의 투자로 자국 업체 점유율을 10%에서 70%까지 확대한다는 목표 아래 반도체산업 투자펀드를 조성하고 있다.

지난 1988년 칭화대학이 설립한 산학 연계 종합 기업인 칭화대학과학기술개발총공사가 1993년 이름을 바꾼 국유기업 칭화유니그룹(紫光集團)이 반도체 육성을 위해 매진하고 있다. 그리고 2015년 이래 총 540억 달러(63조 원)를 투자해 난징과 우한 등지에 공장을 건설하고, 국내외 반도체 관련 기업을 인수해 2018년부터 메모리 반도체를 생산해 중국 완제품 제조업체에 제공할 계획이다.

게다가 상대적으로 기술 격차가 적고 추격이 용이한 메모리 분야(NAND)의 육성을 위해서는 외국 기업의 인수합병을 추진하고, 원 직장보다 수배의 연봉을 제공하는 조건으로 한국을 비롯한 외국의 반도체 전문인력 스카우트에도 열을 올리고 있다.

민영기업인 허페이창신(Hefei Chang Xin)은 회사명을 루이리 IC(Luili IC)로 바꾸고 500억 위안을 투자해 D램 생산 기반을 만들어 조만간 생산라인을 가동할 예정이다. 루이리 IC는 타이완 등지의 반도체 설계 전문가들을 적극 스카우트해 생산 공정이 까다로운 D램 생산까지 할 수 있는 수준으로 올라왔다(메모리 반도체의 종류로 컴퓨터가 켜져 있을 때만 정보가 저장되는 것이 D램이고, 전원을 꺼도 데이터가 저장되는 것이 NAND다).

중국에서는 중국 기업에 스카우트된 한국의 삼성과 SK 출신 직원들을 쉽게 볼 수 있다. 중국 정부와 기업이 자금력을 가지고 중국 반도체 시장을 선점하고 있는 삼성전자와 SK하이닉스를 이기기 위해 정식으로 도전장을 낸 것이다.

디스플레이

이 분야도 마찬가지다. 특히, LCD(액정표시장치) 분야에서는 이미 중국이 한국 기술을 거의 따라왔다. 중국 최대 디스플레이 업체인 징둥팡(京東方, BOE)은 금융기관에서 차입과 지방정부의 투자를 바탕으로 신규 투자를 확대하고 있다. 중국 정부는 8세대(世代, 디스플레이 제품의 모체가 되는 마더글라스[Mother-Glass] 크기를 말함) 이상의 신규 투자시 중앙정부의 사전승인을 의무화해 자국 기업의 우선적 투자와 발전을 지원하고 있다.

애플사와 공급 계약을 맺고 있는 타이완의 폭스콘(Foxconn)은 2016년 말 LG디스플레이가 이미 약 40억 달러 규모의 대형 투자를 하여 2014년 9월부터 공장을 가동하고 있는 광둥성 광저우에 88억 6,000만 달러 규모의 신규 투자를 결정하고, 2019년 상반기부터 TV용 10.5세대 디스플레이 생산 가동을 목표로 추진 중에 있다. 이는 1978년 광둥성 정부의 개혁개방 이래 최대 규모의 외국인 투자를 유치한 것이다.

중국의 제2의 디스플레이 업체로 삼성전자도 일부 지분 투자를 하고 있는 CSOT(深圳市华星光电技术有限公司) 등도 이미 한국 기술을 능가하는 LCD 패널을 생산하고 있다. 한치 앞을 내다볼 수 없는 무한 경쟁 시대인 것이다.

OLED 분야에서는 아직 한국이 품질 및 기술에서 세계 최고의 경쟁력을 확보하고 있고, 중국 시장의 95%를 점유할 정도로 압도적 우위를 갖고 있다. 그러나 중국은 최근 들어 BOE, CSOT 등 중국 디스플레이 패널 기업들이 세금 우대 등 중국 정부의 지원하에 OLED 설비투자를 확대하고 있다. 중국 6개 디스플레이사의 향후 투자 규모가 한국 돈으로 무려 35조 원에 달한다고 한다.

이러한 중국의 움직임에 대해 LG디스플레이(대형 패널 중심), 삼성디스플레이(중소형 패널 중심)로서는 향후 시장을 잠식당할 위험도 있고, 무엇보다도 동일 지역에 중국과 외자 기업의 대규모 투자로 하청업체의 공급망 이탈, 생산직 직원의 유출, 대규모 인력 수요에 따른 인건비 상승 등을 우려하고 있다. 그러면서 중국과의 격차를 유지하고 있는 OLED 분야에서 투자 확대를 통해 격차를 계속 이어가겠다는 전략이다.

삼성 디스플레이는 2017년 상반기에 8조 7,000억 원 규모의 OLED 투자를 진행했다. LG디스플레이는 2017년 7월 향후 2020년까지 국내에 15조 원, 중국 광저우에 5조 원 등 총 20조 원을 OLED에 신규 투자하기로 결정했다(한국 정부는 당초 OLED 기술과 국내 일자리의 중국 유출 가능성을 우려해 광저우 투자 허가를 지연했으나, 2017년 12월 말 소재·장비의 국산화율 제고, 차기 투자의 국내 실시, 기술 보안 점검 및 조직 강화 등을 전제로 조건부 승인 결정을 내림). 이와 같이 삼성이나 LG 등 우리 기업은 연구개발 활동은 물론 미래 시장을 전망하며 시장 추세에 맞는 제품 사양 선택 등 전략을 수립해 발 빠르게 움직임으로써 중국의 추적을 따돌려야 할 것이다.

석유화학산업

석유화학산업은 자동차, 전자, 섬유, 건설 등 각종 산업에 들어가는 대부분의 원자재 생산에 사용되기 때문에 '산업의 쌀'이라는 별명을 갖고 있다. 이러한 산업에서뿐 아니라 플라스틱 용품, 페트병, 합성섬유, 비닐제품 등 일반 생활용품을 만드는 데도 필수불가결한 산업이다.

석유화학산업 분야에서도 중국은 세계 최대 수입시장이며, 한국의 석유화학제품 대외 수출의 절반 이상을 차지한다. 이렇다 보니, 중국 정부도 최근 몇 년간 전국적으로 7곳에 신규 대형 석유화학단지를 조성하면서 생산설비를 증설해 자체 자급률을 꾸준하게 상승시키고 있다. 차이나 인사이드 현상이 증가하고 있는 것이다. 중국 정부는 13.5 규획하에서도 자급률 제고를 위한 설비투자 확대 및 고부가가치화 노력을 계속하고 있다. 이에 따라 중국 시장에서 우리의 경쟁력 소멸이 우려되고 나아가 중국산의 국내 역수입 전망까지도 나오고 있다.

중국의 석유화학 수입시장에서 아직까지는 한국이 점유률 1위이지만, 에틸렌계(PE 등)에서는 원가 경쟁력을 확보한 중동계 기업들이 치고 올라와 고전하고 있다. 향후 북미의 셰일가스나 샌드오일 기반 제품이 대량 생산될 경우 중국 수입시장에서 외국 업체와의 경쟁이 더 심화될 것으로 보여 이에 대한 철저한 대비도 필요한 상황이다.

8 문화·콘텐츠 산업 전략

중국의 문화·콘텐츠 산업 시장

필자와 같이 어린 시절 중국 소설이나 중국 소설 기반의 만화를 보고 자란 세대는, 최근 한국의 대중국 문화·콘텐츠 시장 진출을 보면 감개가 무량해진다. 당시 유비, 조조, 손권의 『삼국지』, 손오공의 『서유기』, 『홍길동전』의 모델이 된 『수호지』는 한국 청소년의 필독서였고, 성장기에 정서적으로 많은 영향을 받았다.

시대가 바뀌어 오늘날 중국의 문화·콘텐츠 산업 시장은 2015년 약 2조 6,000억 위안(4,000억 달러) 규모에 달하며, 2016년에는 전년 대비 11.8% 성장했다. 특히 애니메이션, 소설 등 지적재산권에 기반을 둔 게임, 영화, 콘텐츠 산업 등이 빠른 성장을 보이고 있다. 세부적으로는 게임, 애니메이션, 영화, 인터넷 및 영상 콘텐츠, 드라마 순으로 시장에서 차지하는 비중이 높다.

이 거대 시장에 한국의 문화 기업의 진출이 활발해지고 있다. 한국인은 아마도 좁은 영토에서 많은 사람과 복잡하게 살다보니, 오랜 역사 속에서 축적되고 체질화된 희로애락의 감정, 자연 환경에 대한 적응, 재미있는 스토리텔링 등이 세계 어느 민족보다도 뛰어난 예능 감각을 갖게 했고, 이것이 IT와 모바일 기술과 결합되어 빛을 보고 있는 것이다.

특히, 한국의 이러한 예능 감각은 같은 유교 문화권으로 콘텐츠 소비 성향이 비슷하고, 그동안 중국 내 한류에 익숙한 소비층을 만들어냈다. 2016년 7월 사드 배치 결정에 대한 보복 조치로 중국 정부가 한중간 문화 교류를 반강제적으로 중단하기로 결정한 이전까

중국의 4대 소설

중국의 4대 소설은 나관중의 『삼국지연의』, 시내암과 나관중의 『수호지』, 오승은의 『서유기』, 조설근의 『홍루몽』이다. 한편에서는 『홍루몽』을 대신해 소소생의 『금병매』를 포함하기도 한다. 또한, 『금병매』 외에 18세기 청나라 유림 지식층의 비리를 폭로한 오경재의 『유림외사』까지 포함하여 '중국의 6대 기서(奇書)'라 하기도 한다.

4대 소설은 모두 민간에서 대를 이어 전해오다가 명나라 이후 작가에 의해 주제의 일관성과 작품 구성인물의 명확한 이미지를 바탕으로 장편소설로 재탄생하면서 인기를 얻기 시작했다. 작품 속 인물의 모습이 시사적이며 해학적으로 표현되어 서민 사이에서 인기를 얻었다.

『삼국지연의』는 14세기 원나라에서 명나라로 이어지는 전환기 인물 나관중이 중국 후한 말 황건적의 난에서 위, 촉, 오 삼국의 전쟁, 위나라를 붕괴시킨 진나라 사마염의 삼국 통일까지 3세기 중국 고대 역사를 촉나라를 중심으로 흥미진진하게 기술한 소설이다.

『수호지』는 원말 명초 시내암이 쓰고 『삼국지연의』의 작가 나관중이 손질한 것으로 알려져 있다. 봉건사회의 농민 반란을 소재로 상류 지도층의 부패와 백성들의 궁핍한 실상을 폭로한 명나라 초기 장편소설이다. 명나라에 앞선 북송 시대 양산박에서 봉기했던 영웅 호걸들의 실화를 배경으로 집필된 고전이다.

『서유기』는 16세기 명나라 작가 오승은이 쓴 소설로 한국에는 『손오공』이라는 동화책으로 더 잘 알려져 있다. 소설 속에는 7세기 당나라 시대 실존인물이었던 삼장법사 현장 스님과 여러 가지 신통력을 지닌 손오공, 저팔계, 사오정 등이 등장한다. 당나라 현종의 명령으로 부처님이 계신다는 천축국으로 불경을 구하러 가는 과정을 기술하고 있는데, 불교에서 깨달음을 얻기 위한 수행의 과정을 잘 그린 불교 소설이라고 할 수 있다.

『홍루몽』은 앞의 세 작품과는 달리 18세기 청나라 조설근이 쓴 자전적 소설로 중국 역사상 가장 위대한 작품으로 평가 받고 있다. 가씨(賈氏) 가문의 흥망성쇠를 다루었으며, 『홍루몽』의 모태는 외설적인 소설로 명나라에서 파문을 일으킨 『금병매』라고 한다.

지는 양국간 문화 산업 교류가 활발했다. 다행스럽게 2017년 10월 말 한중 양국 정부가 관계 개선에 합의했는데, 하루 빨리 2016년 7월 이전의 관계로 회복되기를 기대한다. 관련 업체는 중국 업체의 발전 속도를 능가하는 새로운 시도와 도전으로 과거 이상의 중국 시장 진출을 노려야 할 것이다.

게임

중국의 모바일 게임 시장 규모는 세계시장의 약 25%를 차지하고 있는데, 2015년에 미국을 능가하여 세계 1위로 올라섰다. 2013년 230억 달러 시장에서 2018년에는 300억 달러 시장으로 성장할 것으로 예상된다.

한국의 게임 상품은 2000년대 초반부터 중국의 청소년을 사로잡기 시작했다. 2001년 온라인 게임인 엔씨소프트의 리니지에서 시작해 블레이드 앤 소울, 스마일게이트의 크로스 파이어, 넥슨의 던전 앤 파이터 등이 큰 히트를 쳤다. 최근 들어 중국이 막강한 자금력으로 게임 시장을 선점하고 있으며, 한국은 2000년대 초 히트 상품 이후 후속타가 많지 않아 어려움을 겪고 있다. 하지만 한국 젊은이들의 튀는 끼가 살아 있는 한 중국 게임 시장에서의 기회는 여전히 존재할 것이다.

중국 게임 시장에서는 좋은 상품을 만들어내야 하는 우선적인 과제 이외에 현지 게임 퍼블리싱 회사와의 협력이라는 또 다른 과제가 있다. 현재 중국은 이 분야에서도 텐센트가 세계 제1의 게임 퍼블리싱 회사로서 그 위치를 유지하고 있다. 한국 게임들이 중국에서 잘 보급·전파되기 위해서는 이들과의 협력이 반드시 필요하기 때문에 좋은 관계를 유지하는 것이 매우 중요하다. 한중 양국민의 문화적 유사성을 활용한 끈적끈적한 관시가 필요할 것이다. 물론 좋은 상품을 만들면 이들이 먼저 손짓을 한다. 그렇지 못하면 한국 기업은 큰 수익 없이 종속적인 관계에서 제값을 받지 못하고 납품할 수밖에 없는 것이 현실이다.

중국 곳곳에서는 전문 분야별 전시회(Expo)가 늘 열리고 있다. 중국 최대의 상품 전시회라고 할 수 있는 광저우 캔턴 페어(Canton Fair)와 같이 봄·가을로 각각 한 달 동안 개최되는 종합 전시회도 있지만, 전자상거래 전시회와 같이 특정 테마를 중심으로 한 전문 분야 전시회도 자주 열린다. 게임에 관해서는 차이나 조이(ChinaJoy)가 대표적인 전시회다. 이 전시회의 공식 명칭은 중국 국제 디지털 엔터테인먼트 전람회(China Digital Entertainment Expo & Conference)로 2004년 1월 베이징에서 첫 전시회를 개최한 이후 제2회 전시회부터는 장소를 상하이로 옮겨 매년 개최되고 있다.

최근에는 2017년 7월에 제15회 차이나 조이가 상하이에서 개최되었다. 2017년에는 특히 가상현실 기술을 도입한 게임 상품이 다수 출품되었다. 총 전시 면적이 2005년 2만 5,000㎡에서 2017년에는 17만㎡로 약 7배나 확대된 것과 같이 인기몰이를 하고 있다. 차이나 조이는 지난 10여 년간 한류 덕분에 한국 게임업체들이 단골로 참여하는 전시회였다. 그러나 2017년에는 중국 게임 업체의 급부상과 사드 보복 조치로 인해 한국 게임회사들의 설자리가 줄어들었다. 한국 기업의 적극적인 시장 공략과 분발을 기대해본다. 한국에서는 한국콘텐츠진흥원 등이 차이나 조이에 참가하는 기업들을 지원하고 있다.

영화와 드라마

한국의 드라마와 영화도 중국인들에게 환영 받고 있다. 중국인들이 가지고 있지 않은 우리의 세련된 감각이 이들을 사로잡고 있는 것이다. 중국에서는 드라마를 주로 사전 제작하고 있어 중국의 투자를 받아 중국인들이 좋아하는 특성을 덧붙여 국내에서 제작하는 형식을 취한다면, 판권이나 배우의 개런티 등의 수입이 미리 생길 수도 있다. 영화는 중국의 스크린 쿼터제로 인해 한국의 영화보다는 여타 외국의 영화가 우선 상영되고 있지만, 중국 영화 기업들은 한국 영화의 시나리오를 수입해 중국에서 리메이크하는 경우가 많아 이 분야도 좋은 수입원이 될 수 있다.

한국 기업 중 CJ 계열의 CGV는 자체 영화 제작보다는 영화관 경영 사업을 하고 있다. 한국인들은 1년에 영화관에서 평균 5편의 영화를 보는 반면, 중국인들은 영화관에서 1년에 평균 1편의 영화를 본다. 향후 중국인들의 소득 증대와 문화적 관심도 증가할 것이 확실하므로 중국 내 영화 시장의 획기적인 확장이 예상된다. CGV는 이러한 기회를 놓치지 않고, 2017년 말 현재 중국 전역에 약 100개의 영화 전용관을 개설했는데, 2020년까지 300개의 전용관 설치를 목표로 하고 있다. 물론, 2016년에는 사드 배치에 대한 보복 조치로 한국의 모든 영화와 드라마 진출이 중단되었으나, 비 온 뒤 땅이 굳듯이 양국이 관계 개선을 합의하고 교류 협력을 강화하기로 한 만큼 다시 큰 기회가 올 것이다. 그때를 위해서라도 지금 쉬지 않고 준비해야 한다.

캐릭터 콘텐츠

한국 캐릭터 콘텐츠 기업은 완제품 수출뿐만 아니라 자본 투자, 인력 참여, 포맷 수출 등 다양한 방식으로 중국 진출을 시도해왔다. 중국 시장을 통해 세계시장 진출 가능성을 모색해온 것이다. 그 가운데 네이버의 자회사인 라인 프렌즈(Line Friends)가 중국에 진출해 활약한 내용을 소개한다. 라인 프렌즈는 라인 메신저 서비스를 시작으로 캐릭터 상품과 카페를 결합한 오프라인 매장을 운영하고 있다. 2015년 7월 상하이를 시작으로 베이징, 광저우, 선전, 칭다오, 난징 등에 7개 매장을 내고 중국 시장에 적극 진출했다.

라인 프렌즈는 지적재산권을 활용한 캐릭터 콘텐츠 상품이 비교적 적은 중국 시장을 대상으로, 2014년 드라마 '별에서 온 그대'에 간접광고(PPL)를 한 덕분에 중국인 사이에서 높은 인지도를 갖게 되었다. 이를 활용해 짧은 시간 내 중국 캐릭터 콘텐츠 시장의 선두주자로 부상했다.

2016년 7월 한국 정부의 사드 배치 결정 이후 중국 정부의 한한령에도 캐릭터 콘텐츠는 국적 표시가 없어 젊은 중국인들의 거부감이 적었고 지속적인 관심을 유지할 수 있었다. 라인 프렌즈의 흥행에 따라 중국의 유사 브랜드의 시장 진입이 예상되며, 중국 시장에서 외국 기업이 가맹점 형태로 운영될 경우 발생할 수 있는 리스크, 초기 대규모 투자 비용 발생 등 자금력 한계에 따른 사업 확대의 어려움 등이 향후 극복해야 할 과제가 될 것이다.

9 건강·의료 산업 전략

진시황의 불로초를 찾아서

한국에서는 100세 시대를 맞이해 건강에 대한 관심이 높아졌다. 주말이 되면 서울 주변 산들은 건강을 생각하는 인파로 몸살을 앓는다. 중국도 마찬가지다. 지금부터 2,300여 년 전 진나라 진시황제는 중국을 통일한 후 불로장생을 염원해 외국으로 사신을 보내 영원히 늙지 않는 명약을 구해오라고 명했다. 한반도 역시 사신의 주요 파견지 가운데 한 곳이었다.

오늘날에도 중국에서는 백두산 산삼의 효능을 인정해 산삼을 캐러 실제 많은 사람이 창바이산(長白山, 백두산의 중국 명칭) 구석구석을 뒤지고 있다. 한방 의학은 6세기경 중국에서 전래된 의술로 서양 의학이 들어오기 전까지 한국 의료계를 지배했다. 이와 같이 건강과 의료와 관련해서도 한국과 중국은 오랜 세월을 두고 은연중에 깊은 관계를 형성해왔다.

최근 중국 정부는 내수 시장을 확대하여 경기 침체를 벗어난다는 전략하에 소비재 시장 확대뿐만 아니라 관광과 의료 등 고부가가치 서비스 시장 확대를 도모하고 있다. 중국의 경제 발전에 따라 부자들이 늘고, 2020년 소강사회 완성을 지향하면서 중산층이 확대됨에 따라 중국 국민의 건강, 보건, 육아 등에 대한 관심은 더욱 높아지고 있다. 고령화 사회를 목전에 둔 중국 사회는 노후 문제에 대한 관심 역시 급속하게 높아지고 있다. 이에 따라, 한국의 많은 의료기관 및 관련 기업들이 중국 시장에 한국형 의료 시스템을 수출하기 위해 노력하고 있다. 그러나 많은 중국인이 자국의 의료 시설과 서비스 수준에 불만을 품고 있어, 연간 12만 명의 중국인이 한국에 와서 성형수술은 물론 건강검진, 임플란트 시술, 암치료 등을 받는다.

중국의 5대 악산(岳山), 5대 명산(名山)

중국의 국토는 산지 33%, 고원 26%, 분지 19%, 평원 12%, 구릉 10%로 구성되어 있다. 그중에서 산지가 차지하는 비중이 가장 높다. 전 세계에서 해발 8,000*m* 이상인 고봉은 모두 12개가 있는데, 그중에서 중국에 7개가 있다. 예부터 중국인은 산을 즐겨 찾았으며, 그 가운데 대표적으로 험한 산 5개와 친근하고 아름답다고 여기는 산 5개를 지정했다.

5대 악산

중국의 5대 악산이라고 하면, 동쪽의 타이산산(泰山), 서쪽의 화산산(華山), 남쪽의 헝산산(衡山), 북쪽의 헝산산(恒山), 중원의 쑹산산(嵩山)을 말한다. 동악(東岳) 타이산산은 산둥성 중부에 있으며, 높이가 1,532m다. 도교의 발상지인 성지로 도가(道家)의 설(說)에 따라 제왕이 된 사람은 산꼭대기와 산기슭에서 '봉선(封禪)' 의식을 행했다. 이에 따라, 한국의 대선후보들도 선거 전에 타이산산을 방문해 화제가 되기도 한다. 서악(西岳) 화산산은 산시성에 있는데, 높이 2,437*m*로 가장 높고 험준하다. 남악(南岳) 헝산산은 후난성(湖南省)에 있으며, 높이가 1,265*m*에 달한다. 북악(北岳)은 허베이성의 다마오산(大茂山)을 지칭했으나, 명나라 이후 산시성에 있는 높이 2,052*m*의 현악(玄岳)을 헝산산으로 이름을 바꾸어 북악으로 지정했다. 중원의 악산 쑹산산은 허난성에 있는 1,440*m*의 산이다. 산중에는 승려와 도사(道士)의 수업도장(修業道場)이던 사찰들이 있는데, 그 가운데 한국에도 잘 알려져 있는 사오린사(少林寺)는 선종(禪宗)의 시조 달마대사(達磨大師)가 9년의 면벽 좌선을 했던 곳으로 유명하다.

5대 명산

중국의 5대 명산이라고 하면, 한국에도 잘 알려져 관광객들이 많이 찾는 안후이성의 황산산(黃山), 중국의 대표적인 우롱차인 톄관인차 산지로도 유명한 푸젠성의 우이산(武夷山), 중국의 5대 악산과 유일하게 겹치는 산둥성의 타이산산(泰山), 장시성의 루산산(盧山)과 불교 성지로도 유명한 쓰촨성의 어메이산(峨眉山)이 꼽힌다.

건강·의료 시장

중국의 의료 시장은 2015년 기준 약 6,000억 달러(700조 원) 규모에 달한다. 한국의 70조 원 규모의 시장에 비해 약 10배다. 게다가 매년 10%의 성장세를 보이고 있어, 2020년까지 시장 규모가 약 1조 2,000억 달러로 늘어 미국에 이어 세계 제2의 의료 시장으로 성장할 것으로 예상된다.

2000년부터 의료개방정책을 시행 중인 중국 정부는 2016년에 '건강 중국 2030' 계획을 발표했다. 여기에는 고비용을 지불하며 외국으로 빠져나가는 환자들을 머물게 하고, 국민 모두에게 질 좋은 의료 서비스 제공을 위해 민영의료기관 설립을 장려하고, 외자 의료기관의 진입 장벽을 완화하는 등의 정책을 담았다. 또한 정부 재정이 취약 계층의 공공의료에 집중되게 하고, 고급 의료 서비스 분야에서 가급적 민간투자를 장려하는 이원화 정책을 추진하고 있다.

이러한 추세를 반영하듯이 한국 의료기관들이 최근 중국 진출을 서두르고 있다. 분야별로는 피부 미용이나 성형 분야가 아직은 큰 부분을 차지해 전체의 65%에 달한다. 진출 형태로는 초기에는 투자 리스크가 적은 프랜차이징 혹은 라이센싱 형태였으나 점차 자본 투자가 동반된 합자·합작 방식이 늘어나고 있다. 대표적으로 세브란스병원이 2020년 1,000개 병상 규모의 종합병원 개원을 목표로 중국 신화진그룹(新華錦集團)과 합작하여 2016년 8월 산둥성 칭다오에 병원 신축 기공식을 했다. 향후 병원 운영 시스템 지원, 의료기술 전

수 및 교육 등의 분야에 진출을 계획하고 있다.

SK그룹도 이미 중국 민영의료기관인 VISTA와 합작(총 투자액 약 230억 원)해 2014년 7월 선전에 VISTA-SK 의료원을 설립하고 건강검진 및 일반 환자 진료를 병행하기 시작했다. 다른 산업 분야와 마찬가지로 외국 의료기관은 독자적으로 중국에 진출하기 어렵다. 중국 기업과의 합자·합작 투자를 통해서만 의료기관 설립이 가능하다. 현재 세브란스병원과 SK그룹 외에도 거의 100개에 달하는 크고 작은 의료기관들이 중국 전역으로 진출을 모색하고 있다. 그러나 중국 거대 의료시장의 과실(果實)을 얻기 위해서는 진입 제한 외에도 인허가 문제, 까다로운 관리감독 제도, 전문 인력 확보가 어려워 이 점을 극복해야만 한다.

한국 정부 차원에서도 중국 정부가 지정한 의료특구 지역에 한국 의료기관의 진출을 지원하고 있다. 중국 정부는 고급 의료 인프라 구축과 의료 기술 제고 등을 목적으로 2017년 말 현재 전국적으로 42개 의료특구를 설치했다. 외국자본의 지분 제한 등 인허가 및 조세 규정의 대폭 완화, 토지 가격 인하, 연구개발 유치 우대 등 외국자본이 자유롭게 투자할 수 있도록 조치한 것이다. 중국 정부는 앞으로 의료특구 조성을 확대해나갈 방침이며, 지방 성·시 별로 해외 의료기관에 대해 인센티브를 제공하는 등 적극적인 우대 정책을 시행하고 있어, 이에 대한 정부의 의료기관 진출 안내와 주선 등의 노력이 필요하다. 중국은 자국 의료 부문 가운데 가장 열세인 심혈관

질환, 암 질환, 노인성 질병 등에 관심을 보이며 한국 의료계에 손짓을 하고 있다.

의료 분야에서 또 하나 새로운 기회는 중국 환자를 국내로 유치하는 일이다. 즉, 의료관광 산업의 활성화다. 현재 한국은 2016년 연간 거의 190개국에서 약 38만 명의 의료 환자를 접수하고 있는데, 그 가운데 중국인 환자가 약 35%로 가장 많다. 2016년 기준으로 약 12만 명에 달한다. 전문 분야별로 중국을 제외한 다른 국가는 내과 환자가 압도적으로 많은 반면, 중국은 한류 스타들의 영향으로 성형외과(20%)가 1위이고, 이어 내과(14.6%), 피부과(13.5%), 건강검진(9.3%) 순으로 밝혀졌다.

의약품과 의료기기

중국의 의약품 시장은 2015년 기준 1,123억 달러 규모로 미국 시장(약 4,000억 달러 규모)에 이어 세계 제2의 시장이다. 이 가운데 수입 시장은 463억 달러로 전년 대비 7.3% 성장했다. 한국의 대중국 의약품 수출도 늘어 약 1억 7,000만 달러 규모이나 아직 전체 수입 시장에서 차지하는 비율은 1%에도 못 미치고 있다. 특히 한국의 대중국 의약품 수입액은 같은 해 5억 2,000만 달러에 달해 의약품 분야에서는 오히려 무역수지 적자를 기록하고 있다. 의약품 분야에서 한국의 경쟁력은 서구 국가들에 뒤지고 있으며, 중국 역시 빠르게 치고 올라오는 상황이다. 2015년 체결된 한중 FTA는 77개의 의

약품 중 73개 품목의 관세를 5년 이내 완전 철폐하기로 했는데, 이러한 기회를 활용해 중국의 틈새시장 진출 준비를 철저히 해야 할 것이다.

최근 한중간 의료 분야 협력으로 신약 제조를 자주 볼 수 있는데, 한국이 줄기세포 기술을 활용해 만성질환, 희귀난치성 질환, 암 등에서 높은 치료 성과를 거두고 있다. 반면, 중국은 신(新)의료기술을 개발하기 위한 임상실험 여건이 잘 갖추어져 있어 양국간의 윈-윈 협력이 진행되고 있다.

중국 시장에서 의료기기 시장 규모는 2015년 기준으로 약 177억 달러다. 중국 정부는 오는 2020년까지 낙후된 의료기기를 모두 새것으로 교체할 계획이다. 중국 내 민간 병원 설립 확대로 2022년에는 의료기기 시장 규모가 690억 달러 수준으로 크게 증가할 것으로 예상된다. 2015년에 한국의 의료기기 대중 수출은 3억 3,000만 달러였고, 주요 수출 품목으로는 조직수복용 생체재료, 치과용 임플란트, 초음파 영상진단장치 등이다.

현재 중국 내 산부인과에서 사용되는 초음파 의료기기의 70%가 일본 제품이며 30%는 독일과 미국 제품이다. 이들은 주로 하이엔드(high-end) 시장에 진출하고 있어 한국은 우선 중저가 미들엔드(middle-end) 시장에 접근해 일반 병원급 의료기관에 의료기기를 공급하는 것이 유리하다. 최근 들어 중국인들의 임플란트 시술 증가로 임플란트 관련 기기의 수출이 확대되고 있는데, 한국 제품이 중국 내

시장점유율 1위를 차지하고 있다(매출 기준으로는 고가의 제품을 판매하는 미국이 1위다).

그러나 최근 중국도 자국 산업 및 기업 보호 차원에서 외국산 의료기기에 대한 중국 CFDA(국가식품의약품감독관리총국: China Food and Drug Administration) 인허가 소요 기간을 1년 이상 길게 하는 등의 비관세 장벽을 강화하면서 한국 기업 진출에 장애가 되고 있다.

디지털 헬스케어

중국에서 새로운 의료 시장으로 부상하고 있는 디지털 헬스케어 산업에도 주목할 필요가 있다. 중국은 워낙 많은 인구가 넓은 영토에 산재해 살고 있어 의료 접근성의 불균형, 의료 전문 인력 부족, 비효율적 의료 기록 시스템 등의 문제 해소를 위해 디지털을 활용한 원격 의료 시스템 구축과 의료 정보화를 적극 추진하고 있다.

중국 정부는 1999년 '원격의료회진 관리 강화에 관한 통지'를 발표한 이후 최근 중국 제조 2025 정책 발표에 이르기까지 첨단 원격 의료 서비스를 지속적으로 확대 추진하고 있다. 한국보다도 원격 의료에 대한 법제화가 앞서 있어 중국 내 유명 의과대학 및 병원들이 원격회진센터를 설립하고, 전국 다수의 병원에서도 잇달아 각종 원격 진료 서비스를 전개하고 있다.

대다수의 중국인들은 기본적으로 '병원에서 진료받기 힘들고, 비싸다'는 인식과 의료 지원 서비스에 대해 불만을 가지고 있는데, 이는 중국 인구의 60%가 지방 현급 이하의 보건 의료 지원이 미흡한 곳에 거주하기 때문이다. 반면, 보건 의료 지원의 80%는 대·중 도시에 분포하고 있기 때문에 생기는 의료 접근성의 불균형, 비효율적 의료 전문 인력 배치, 비효율적 의료 기록 시스템 운영 등의 문제점에서 비롯되어, 이를 해소하기 위해 중국에서 원격 의료 서비스 확대는 필수적인 상황이다.

또한, 원격 의료 서비스 산업은 중국 제조 2025 정책의 10대 핵심 산업인 '바이오 의약 및 고성능 의료기기' 분야의 영상설비, 의료용 로봇과 같은 고성능 의료기기, 스마트 웨어러블, 3D 바이오 프린터, 다용도 줄기세포 등과 연관되어 추진되고 있다. 스마트폰 앱을 활용해 중국 내 환자와 병원을 연결하는 의료 플랫폼도 활성화되어가고 있다. 예를 들어 O2O 기업인 밍이주다오(名醫主刀)는 중국 내 6,353개 병원, 1만 4,215명의 의사와 제휴해 월 5,000명 이상의 환자가 원격으로 진료 및 수술을 받을 수 있도록 지원하고 있다.

중국의 디지털 헬스케어 시장은 앞서 보았듯이 빅데이터, 클라우드 컴퓨팅, 모바일 네트워크 등 모바일 인터넷 환경의 급성장에 힘입어 2020년에는 50억 7,000만 달러 수준에 달할 것으로 전망된다. 한국의 의료 기술과 IT 역량을 충분히 발휘할 수 있는 분야라고 할 수 있다.

10 엔젤·실버 산업 전략

엔젤 산업

한국 가정에서 자녀는 과거에 비해 훨씬 중요한 위치를 차지하고 있다. 자녀의 수가 줄고 있어서 그렇고, 사회가 더욱 치열한 경쟁 사회로 변해감에 따라 1~2명밖에 없는 자녀에 대한 관심도는 높아지고 있기 때문이다. 중국은 지난 30년 이상 한 자녀 정책을 유지해온 결과 남아 선호 현상이 과거 한국의 가정보다도 높아졌다. 집안의 어린 황제와 같다는 뜻의 샤오황디(小皇帝)라는 말이 생겨나 유행할 정도로 자녀 양육에 대한 관심이 지극하다. 한국이나 중국이나 자녀는 가정의 첫 번째 우선순위에 해당하며 가정의 중심이 되고 있다. 물론 한국이나 중국 모두 자녀에 대한 지나친 관심이 오히려 부작용으로 나타나는 경우도 많아, 부부 중심의 가정을 추구하는 경향도 점차 힘을 얻고 있다.

중국 정부가 오랜 기간 한 자녀 정책을 고수하면서 인구 고령화 현상이 심화되었고, 나아가 생산가능 인구의 감소로 지속적인 성장에 장애가 되기 시작했다. 이에 대응하기 위해 2016년부터 두 자녀 허용으로 인구 정책을 전환함에 따라, 가정의 최우선 순위인 어린 자녀를 대상으로 하는 엔젤 산업 시장이 크게 성장할 것으로 전망된다. 엔젤 산업이란 엔젤 계수, 즉 가계 총 지출에서 교육비가 차지하는 비율을 의미하는 계수에서 파생된 개념으로 영아, 유아, 아동, 산모와 관련된 산업을 총칭한다. 2018년에 중국의 엔젤 산업 시장 규모는 3조 위안(4,500억 달러)을 넘어설 것으로 전망된다.

한국에서 출생한 신생아는 1950년대 후반 90만 명을 상회해 한해 신생아 출생의 최고치에 달했으나, 이후 줄곧 감소를 거듭해 2016년에는 40만 6,200명으로 전년에 비해서도 7.3%나 줄었다. 반면 중국에서는 2016년 한해 한국의 43배인 1,786만 명의 신생아가 태어났다. 한 가정 두 자녀 허용 정책 도입 첫해로 전년 대비 8% 정도 늘어난 것이다. 1,786만 명은 서울 인구의 1.7배에 달하는 수치로 태어나서 3세까지의 영·유아만 하더라도 한국 전체 인구 5,000만 명을 상회하는 거대한 엔젤 시장이 존재하는 것이다.

중국 역시 한국과 비슷하게 자녀에게 쓰는 비용을 아끼지 않는 경향이 있어 둘째 아이 출산 허용과 함께 중국의 엔젤 시장은 날로 확대될 것으로 보인다. 이에 따라 중국에서 엔젤 산업만을 보면, 2015년 시장 규모가 약 2,900억 달러에 달한 후, 매년 15% 성장세를 보이고 있으며, 2018년에는 약 4,500억 달러를 넘어설 것으로 전망된다.

최근 중국 시장 내 유아용품 수요가 증가되면서, 오랜 전통의 캔턴 페어에서는 2017년 가을부터 수입 전시구역에 국제 유아용품 구역을 특별 설치해 독일, 뉴질랜드, 한국 등의 유아용품 전문기업을 초청하고 있다.

한국 기업의 유아용 제품의 대중국 수출은 최근 5년간 분유가 3.9배, 어린이 장난감이 2.5배, 유모차가 1.2배의 성장세를 보였다. 엔젤 산업과 연관된 분야로 산부인과는 물론 한류 트렌드를 활용한 산후조리원 등 한국이 가진 경쟁력을 활용해 중국 진출을 도모해야 한다. 유아 관련 비누와 세제, 기저귀, 분유와 이유식, 어린이 약품 등도 한국 기업이 생각해볼 수 있는 유망한 수출 분야다.

필자가 거주하는 광저우 쇼핑몰에 가면 아직 한국 제품보다는 일본이나 기타 외국산 엔젤 상품이 더 많이 진열되어 있다. 예를 들어, 2016년 중국에서 기저귀가 349억 장이 팔렸는데 이 가운데 유럽과 일본 등 외국 브랜드가 전체 기저귀 시장(약 6조 6,000억 원 규모)의 $\frac{2}{3}$를 차지하고 있다. 그 가운데서도 P&G가 97억 장(27%)이나 팔아 1위를 차지했다.

좋은 물건을 많이 만들고, 판로를 개척해 확대 일로에 있는 중국의 엔젤 상품 시장 진출을 늘려야 한다. 또한, 엔젤 산업 중에 한국이 가지고 있는 강점으로 유아교육 시장을 들 수 있다. 기술과 콘텐츠 측면에서 강점을 가진 우리로서는 현지 기업과의 파트너십을 통해 유아 교육 분야 진출에도 박차를 가해야 할 때다.

양로 서비스 산업

중국 인구는 13억 7,000만 명에 달한다. 중국의 인구 구조도 일본이나 한국을 닮아가고 있어, 인구 고령화가 급속하게 진행되고 있다. 현재 60세 이상의 고령 인구가 2억 3,000만 명으로 전체 인구의 16.7%에 해당한다. 이로써 중국의 양로시장은 2020년이 되면, 3조 3,000억 위안(5,000억 달러)에 달할 것으로 예측된다. 지금부터 약 15년 후인 2033년에는 60세 이상의 고령 인구가 4억 명에 달할 것이고, 2050년에는 인구의 $\frac{1}{3}$이 고령 인구에 속할 것으로 예상된다. 현재 중국의 양로시장에는 중국의 부동산회사, 보험회사, 의료기관의 투자가 중심이 되며 외국계로서는 일본의 선점이 두드러지나, 시장이 확대됨에 따라 한국의 진출 여지도 매우 크다.

시 주석은 중앙정치국 회의에서 "고령화 현상과 경제, 사회발전에서 파생하는 수요를 충족함으로써 고령화 문제를 해결해야 한다"고 하면서 실버산업 육성을 강조했다. 중국 고령화 인구의 소비시장 잠재력은 점증하고 있으며, 노인들의 생활의 질을 높일 소비 수요는 의식주와 같은 기초생활 서비스부터 문화, 오락, 여행, 레저, 금융, 교육 및 의료 서비스 등 다양한 형태로 나타나고 있다.

중국 정부는 2006년부터 급격한 고령화를 중요한 문제로 인식하고, 양로 서비스 산업을 발전시키기 시작했다. 12.5 규획 기간(2011~2015)에는 부족한 국가 양로 시설에 대한 지원책을 마련하기 위해 민간 자본과 외자 유치를 독려했으며, 13.5 규획 첫해인 2016년 12월에는 중국의 양로시장을 2020년까지 전면 개방할 것이라고 발표했다. 2020년 양로 서비스 시장이 개방되면 외국인은 중국 기관과의 합작 없이도 독자적으로 노인 요양원, 간호 병원 등을 운영

할 수 있다는 의미다.

2015년 기준으로 중국 양로원은 노인의 3%밖에 수용할 수 없을 만큼 절대적으로 공급이 부족한 상태로 외국자본 유치가 시급하다. 이에 따라, 중국 정부는 관련 법규 정비를 서두르고 양로 기관 설립 등 외국인 투자 관련 규제도 완화할 예정이다. 아울러 중국 정부는 2017년 9월 산둥성 옌타이(煙臺) 등을 양로 시범사업 지역으로 선정하는 등 고령화 시대를 대비한 양로산업에 대한 체계적인 준비를 진행하고 있다.

양로 서비스 개선은 결국 양로 관련 실버 상품의 공급 확대를 의미한다. 한국은 중국의 변화를 주의 깊게 연구해 양로 분야에서도 한국의 서비스 역량과 관련 상품의 중국 진출을 모색해야 한다. 다만, 중국에서의 모든 사업이 그렇듯 양로산업 투자에도 큰 리스크가 있다. 첫째, 중국 양로산업이 아직 초기 단계에 있어 규칙 없이 우후죽순으로 시장이 형성되는 등 비즈니스 모델이 명확하지 않다는 점이다. 둘째, 양로산업의 특성상 부동산 및 관련 서비스가 공존해야 하는데 여타 산업에 비해 많은 시설과 서비스 투자 등 사전 투자가 필요하다. 또한 자금 회수 기간이 길어 자금 조달 및 상환 리스크가 따를 수 있다. 셋째, 중국 내 양로 서비스 인력, 즉 노인 치료 및 간호 등 전문 인력이 부족하고, 관련 교육 시스템도 미흡해서 신중한 접근이 필요하다고 하겠다.

11 패션 의류·화장품 산업 전략

패션 의류

한국이 산업화 과정에서 중국보다 앞서 있는 것 중의 하나는 역시 디자인, 포장 등 미(美)에 대한 감각일 것이다. 미에 대한 감각은 아름다움에 대한 오랜 경험을 통해 쌓인다. 해방 후 서구와 접촉한 역사가 중국보다 앞서 있었기에 한국은 동서양의 미를 포용하고 융합할 줄 아는 눈과 감각을 중국인들보다 먼저 갖기 시작했다.

현대 의류 패션의 승부는 역시 디자인에 달려 있다. 디자인은 인간의 아름다움에 대한 필요(needs)를 감성적 언어로 해석해서 시각적으로 표현하는 기술이다. 하루아침에 이루어질 수 없다. 그러나 이 분야 역시 중국의 변화 속도가 무섭다. 의류 분야에서도 중국의 기술 진보가 빠르고 워낙 시장 규모가 커서 중국 기업과의 경쟁이 녹록지 않다.

한류의 영향이기도 하지만 다행스럽고 고맙게도 중국인들은 한국의 의류 디자인을 좋아한다. 한국 제품들은 서구 제품에 비해 중국인들의 체형이나 기호에 맞고, 한국 특유의 감각과 센스가 담겨 있기 때문일 것이다. 그러나 그 격차는 하루가 다르게 줄고 있다. 그동안 중국인 디자이너들이 한국에 와서 우리 디자인을 복사해 만드는 시기가 있었고, 이것으로도 부족해 한국인 디자이너들을 대거 초청해서 옷을 만들기도 했다. 그것도 부족해서 이제는 아예 동대문 패션 생태계 전체를 광저우 시내 한복판에 옮겨놓기도 했다.

중국인이 아직 한국의 패션과 의류 디자인을 좋아한다고 해서 중국이 한국의 재고 처리된 의류들을 가져가서 판매한다고 생각한다면 큰 오산이다. 베이징, 상하이, 광저우, 선전 등 1선 도시들은 한국 이상으로 외국 브랜드 상품이 이미 주요 시장을 차지하고 있다. 중국 패션 시장은 세분화되고 개성 있는 상품만이 살아남는 성숙한 시장이다. 대중 의류 시장은 전반적인 중국인들의 소득 수준이 그다지 높지 않고 외모에 대해서도 크게 신경쓰지 않아, 일부 계층은 유명 브랜드를 중시하지만 대중은 아직도 세련되고 자신에게 어울리는 상품이면 브랜드를 따지지 않고 구입한다. 따라서 중국 시장에서는 품질, 디자인, 가격 등 3가지 요소에서 골고루 종합적인 경쟁력을 갖추어야 한다.

또한, 1선 도시에서 시장 확보가 용이하지 않을 경우 1선 도시만을 고집해서도 안 된다. 넓고 넓은 중국 시장, 많고 많은 사람이 살고 있는 2,3,4선 도시로 진출을 모색해야 한다. 고소득층을 대상으로만 해서도 안 되고 신세대 젊은 층을 대상으로 저변을 넓히다 보면 한국에게도 기회가 많을 것이다.

모바일 시대를 맞이한 지금은 O2O를 이용해 한국의 패션과 중국의 전자상거래 플랫폼을 결합해 중국 시장을 확보하는 기회를 엿보는 것도 주요한 전략이 될 것이다.

현재 의류 분야에서는 중고가 상품 중심의 이랜드가 진출해 있고 동대문상가 유어스(U;US)가 광저우에서 문을 열었다. 또 한국 기업인들이 디자이너와 함께 옷을 만들어 중국 브랜드로 판매하는 경우가 있다.

중국 기업들의 노력과 활력으로 중국 사업 진출은 어느 분야든지 만만치 않다. 그러나 13억 7,000만 명의 인구가 있는 광활한 중국 의류 시장을 포기할 수는 없는 노릇이다.

화장품 등 뷰티 상품

중국의 4대 미인 가운데 한 명인 양귀비는 당나라 현종의 마음을 사기 위해 늘 목욕을 즐겨하고 매번 새로운 화장법을 개발했다고 한다. 시대가 바뀌어도 여성의 아름다움을 지키기 위한 노력에는 동서고금에 차이가 없다.

중국 화장품 시장은 2015년 기준으로 약 440억 달러 규모다. 중국 내 한국 화장품에 대한 인기는 대단하다. 필자가 주 광저우 총영사로 근무하면서 관할 지역 정부 고위층을 만나러 갈 때, 과거 전임자들은 한국의 전통 공예품을 선물로 들고 가져갔지만 필자는 한국 화장품을 준비해 다녔다. 물론 선물을 받는 중국 인사들의 표정이 과거보다 훨씬 밝아졌던 것으로 기억한다. 그만큼 한국 화장품은 중국에서 잘 알려져 있고 늘 환영받는다. 이러한 한국 화장품에 대한 인기가 중국이라는 거대 시장과 결합되어 한국 화장품 기업을 국내 증시 시가총액 10위 안의 대기업으로 만들어주었던 것이다.

이제는 중국의 웬만한 주요 도시에 소재하는 백화점이나 쇼핑몰 어디를 가든지 한국 화장품 전문 매장을 쉽게 볼 수 있다. 중국인들의 소비 시장 확대와 중국 여성의 미에 대한 점증하는 열망은 앞으로도 화장품 시장을 지금의 배 이상으로 늘려갈 것이다.

중국 시장은 한국에게 절호의 기회다. 한국 화장품이 인기가 있다 보니 중국 업자들이 짝퉁을 만들어 피해를 주기도 하고, 중국 기업들이 거의 한국 제품과 유사한 수준의 화장품을 만들 수 있을 정도로 기술력이 높아지기도 했다. 한국 기업이 경쟁 우위를 확보하기가 쉽지 않게 된 것이다. 한국의 화장품 관련 기업들은 질 좋은 화장품을 계속 만들고, 중국 소비자들에게 접근하는 온라인 및 오프라인 유통망을 구축해야 한다. 그리고 광고 효과를 위해 영화와 드라마 등 한류를 전파하면서 우리의 다이내믹한 끼를 살려 중국인들과 교류의 장을 넓히고 새로운 고객을 확보하는 데 힘써 나가야 한다.

최근까지 한국 화장품 매출의 상당 부분은 중국인 관광객들의 국내 면세점에서 발생했으나, 중국의 사드 배치 보복 조치에 따라 매출이 급락했다. 이에 화장품 제조사들이 중국의 온라인·오프라인 시장 공략을 본격화하고 있는 것은 다행이다. 다행히도 2017년 10월 말 한중 양국이 관계 개선에 합의한 만큼 매출이 신장될 것으로 기대된다. 중국에서 화장품 시장 전망이 좋다 보니 인터넷 쇼핑몰과 오프라인 매장 등에서 국내외 제품간 경쟁도 심각하다. 그동안 한류 드라마 등의 효과로 중국 젊은 층들의 한국 화장품에 대한 인지도가 높아졌으나, 새로 등장하는 더 젊은 고객층의 확보를 위한 업그레이드된 새로운 판매 전략 마련이 시급하다고 할 수 있다.

중국의 4大 미인

중국에서 여성의 미를 표현할 때 "침어낙안(浸魚落雁)의 용모, 폐월수화(閉月羞花)의 아름다움"이라는 말을 자주 쓴다. 이는 중국 역사상 4대 미인으로 알려진 서시(西施), 왕소군(王昭君), 초선(貂蟬), 양귀비(楊貴妃)를 가리키는 말이다. 강물 속의 물고기도, 하늘을 나는 기러기도, 밤을 밝히는 달도, 들판의 꽃도 부끄러워 얼굴을 가릴 정도로 아름다웠다는 뜻인데, 그 어원은 다음과 같다.

① 침어(浸魚)는 서시를 가리키는 말로 물고기가 헤엄치는 것을 잊어버릴 정도로 미인이란 뜻이다. 서시는 춘추시대 말기의 월나라의 여인이다. 어느 날 강물에 비친 그녀의 모습이 너무 아름다워 물속의 고기가 수영하는 것조차 잊고 천천히 강바닥으로 가라앉았다는 고사에서 비롯되었다. 오(吳)나라 부차(夫差)에게 패한 월왕 구천(勾踐)의 충신 범려가 보복을 위해 서시를 호색가인 오왕 부차에게 바쳤는데, 부차는 서시의 미모에 사로잡혀 정치를 돌보지 않아 결국 월나라에 패망했다.

② 낙안(落雁)은 왕소군을 가리키는 말로 기러기가 날갯짓하는 것을 잊어버려 땅에 떨어질 정도로 아름다웠다는 뜻이다. 한(漢)나라 원제는 북쪽의 흉노과 화친을 위해 왕소군을 바치는데, 그녀가 날아가는 기러기를 보고 고향 생각이 나서 금(琴)을 연주하자 한 무리의 기러기가 그 소리를 듣고 날갯짓하는 것을 잊고 땅으로 떨어졌다는 고사에서 비롯되었다.

③ 폐월(閉月)은 초선을 가리키는 말로 달이 부끄러워 얼굴을 가릴 정도로 미인이라는 뜻이다. 초선은 『삼국지』의 초기에 나오는 인물로 한나라 왕윤(王允)의 양녀인데, 어느 날 저녁 정원에서 달을 보니, 그녀가 하도 아름다워서 달이 수줍어 구름 한 조각으로 얼굴을 가렸다는 데에서 비롯되었다. 초선은 왕윤의 뜻에 따라 간신 동탁과 여포를 이간질시키며, 결국 동탁을 죽게 하고 스스로 목숨을 거두었다.

④ 수화(羞花)는 양귀비를 가리키는 말로 꽃을 부끄럽게 할 정도로 미인이란 뜻이다. 당나라 미녀 양귀비는 당나라 현종에게 간택되어 입궁했지만, 늘 우울했다. 어느 날 정원의 꽃을 감상하며 우울함을 달랬는데, 꽃을 만지자 그 꽃이 부끄러워 꽃방울을 닫아 버렸다고 한다. 이를 계기로 양귀비는 꽃조차도 부끄럽게 할 정도의 미인이라는 칭호를 얻게 되었다. 하지만, 38세의 나이에 위기에 처한 현종에게서 버림을 받고 자결했다.

한국 화장품 등 미용 제품의 중국 진출에서 가장 큰 애로는 역시 중국의 위생 허가를 받는 데 거의 1년이라는 지나치게 많은 시간이 걸리고, 해관 통관 절차도 복잡하다는 데 있다. 앞서 언급한 비관세 장벽이다. 중국 국가질량감독검험검역총국(AQSIQ)이 2017년 1월 중국 세관에서 몰수한 불합격 수입 화장품에는 한국의 유명 상품도 다수 포함되어 있었다. 한국 정부는 사드 문제가 봉합된 만큼 멀어진 양국 관계를 하루 빨리 복원해 중국인 관광객들의 방한 수요를 확보하고, 중국 정부와의 꾸준한 협의를 통해 미용 제품의 상호 인허가 절차 간소화 및 심사 기간 단축 등 애로사항 해소 방안을 모색해나가야 할 것이다.

12 제4차 산업혁명 전략

제4차 산업혁명 시대의 성장 전략

지금까지는 반도체, 디스플레이, 게임·드라마 등 엔터테인먼트 산업, 보건, 의료, 유아, 양로, 패션 의류, 화장품 등 한국이 아직 비교우위를 유지하고 있는 대표적인 산업 분야에서 중국 시장 진출 방안에 대해 살펴보았다. 이번 마지막 장은 한중이 아직 본격적으로 가보지 않은 새로운 산업 분야, 즉 제4차 산업혁명 분야에서 중국과 어떠한 협력 관계를 가지고 미래 세대들을 위한 밑바탕을 만들 것인가 하는 문제에 대해 생각해본다. 제4차 산업혁명 시대에서 세계는 이전의 어느 시대보다 더 승자독식(winner takes all)의 경쟁 시대에 접어들었기 때문이다.

한국수출입은행의 해외경제연구소가 2016년 12월에 발표한 '제4차 산업혁명 시기의 한중 산업 정책 및 경쟁력 비교 연구' 보고서에 의하면, 제4차 산업혁명을 선도하는 로봇, 사물인터넷, 3D 프린팅, 빅데이터, 인공지능 등 5대 핵심기술 분야 가운데 한국은 사물인터넷에서는 아직 중국에 비해 우위를 점하고 있으나 향후 중국의 추격이 예상된다. 로봇 분야에서는 경쟁이 치열하지만 점차 중국의 경쟁력이 더욱 강화될 것으로 전망된다. 3D 프린팅, 빅데이터, 인공지능 분야에서는 중국에 비해 열위에 있는 것으로 조사되었음을 앞서 언급한 바 있다.

보고서는 상기 조사 결과를 기초로 한국 정부에 대해서는 '한국형 제4차 산업혁명 주도 전략'을 조속히 세울 것과 관련 법과 제도의 유연성을 확보할 것을 권고하고 있다. 기업에 대해서는 중국 등 거대 내수 시장을 겨냥한 전략적인 인수합병, 지분 투자 확대, 글로벌 시장에서 외국 기업과의 단순 경쟁을 하기보다는 이들 기업들과의 '협력형(전략적) 기업성장 전략'을 마련하라고 주문하고 있다.

2017년 출범한 한국의 신정부가 저성장 추세 탈피를 위해 내세운 지능화, 드론, 자율주행 자동차, 스마트화, 핀테크 등 10대 혁신 선도 사업이 대부분 제4차 산업혁명 기반 기술의 활용분야다. 2008년 세계 금융위기 이후 투자를 줄이고 사내 유보금을 늘려온 대기업들의 적극적인 투자가 필요하며, 중견 벤처기업과 30~40대 젊은 세대의 IT 활용 능력과 활력이 절실히 요구되는 분야다.

제4차 산업혁명 분야에서의 한중 협력

문재인 대통령은 2017년 12월 16일 중국 국빈방문 중 북경대학 연설에서 시의적절하게 "한중이 전 세계의 제4차 산업혁명 지도를 함께 그려 나가자."라고 제안했다. 중국은 제4차 산업혁명의 원천기술에 있어 많은 부문에서 이미 한국을 앞서가고 있기 때문에 한국보다는 미국이나 독일과의 협력에 우선순위를 두고 있다. 따라서 한국이 협력을 희망하더라도 응하지 않을 수 있다. 어떻게 보면, "떡 줄 사람은 생각지도 않는데, 김칫국부터 마시는" 상황이 될 수도 있기에 신중한 접근이 필요하다.

필자는 2017년 11월 14일 주 광저우 총영사관 주최 국경일 리셉션 축사에서 다음과 같은 화두를 던졌다. "한국-광둥 간 연간 약 650억 달러의 교역과 활발한 투자 협력이 이루어지고 있습니다. 저는 향후 한국-광둥 간 협력은 기존의 제조업 분야를 넘어서 한국의 첨단 IT 산업과 광둥 지역의 로봇, 인공지능 등 제4차 산업혁명 분야에서 새롭게 출발해야 하리라 생각합니다. 한국의 사물인터넷, 로봇 등 기술과 중국의 인공지능, 빅데이터 기술 등 각국의 장점을 바탕으로 양국의 정부, 기업, 학계가 공동으로 연구개발하고, 이를 상품화하며, 일대일로 전략을 통한 연선국가로 공동 진출을 도모해야 할 것입니다. 이렇게 해서 25년 후 한중 수교 50주년이 되는 2042년에는 한국과 중국이 상생 공영하는 미래가 이곳 광둥을 포함한 화난 지역을 중심으로 실현될 것으로 믿어 의심치 않습니다."

이에 대해, 린사오춘(林少春) 광둥성 부성장은 "광둥성은 지금까지 다져진 협력에 기초해 물류, 인터넷, 로봇 제조, 인공지능과 빅데이터 등 분야에서 한국과의 협력을 진일보 강화해 한중 관계를 발전시키는 데 이바지할 수 있도록 노력하겠습니다"라고 화답했다.

이와 같이 제4차 산업혁명의 첨단 분야에서 협력은 중국의 지방정부나 민간 차원에서 접근하는 것이 더욱 실효성이 있을 것이다.

중국과의 첨단 분야 연구개발 협력, 제4차 산업혁명의 원천 기술을 활용한 제품 혁신과 상업화를 위해 중국 지방정부 및 민영기업과의 정보 교류와 협력 네트워킹 구축 등이 필요하다. 예를 들어, 한국 정부(산업통상자원부)와 광동성 정부 간에는 연례 장관급 경제 협력 채널이 구축되어 있다. 이러한 회의를 통해 제4차 산업혁명 분야에서의 양국간 정보교류, 나아가 로봇과 신재생에너지 및 바이오 등의 분야에서 한중간 협력 문제 등을 논의하면 협력 가능성이 높아질 것이다.

제4차 산업혁명 시대에 있어 한국은 각 산업의 가치사슬(value chain) 전반에 IT와 빅데이터 기술을 활용하여 상품성과 생산성을 제고해야 한다. 또한 상품 시장 외에 스마트 시티 건설, 물류 체인, AI 등 첨단 기술의 표준화 작업에서 한중간 협력을 강화할 필요가 있다. 특히, 세계 500대 기업 가운데 중국 기업 17개가 소재하는 광동성, 홍콩, 마카오를 연결하는 웨강아오 대만구의 투자 환경을 잘 활용한다면 한국 투자 기업의 미래는 밝을 것이다. 또한 이 지역이 중국의 일대일로 전략의 일환인 21세기 해상 실크로드의 출발점이므로 지방정부 및 민영기업과의 파트너십을 통한 일대일로 연선국가로 진출을 시도해야 할 것이다.

세상은 넓고 할 일은 많다.

찾아보기

ㄱ

ㄴ

ㄷ

ㄹ

ㅁ

ㅂ